臨床工学技士のための

臨床実習が楽しくなる本

改訂2版

髙橋 純子 〔編著〕

工藤 元嗣　中島 章夫 〔著〕

丸善出版

改訂2版にあたって

　2018年の初版刊行から4年の月日が流れました。臨床工学技士に関する各領域のテクニカルな内容については多くの書籍がありますが、実習を受ける学生さんの心構えや勉強方法、関係者とのコミュニケーションの方法などを中心に記した書籍は本書しか存在しないのではないでしょうか。そのような背景もあり、本書は多くの臨床工学技士養成校において主に実習前準備のテキストとして活用いただいています。

　2021年の臨床工学技士法の改正に伴い臨床工学技士の業務範囲が今まで以上に拡大され、患者さんにとって侵襲度の高い治療業務にも臨床工学技士が携わることとなりました。今までの教育カリキュラムでは、これらの業務に対応することが困難であることから、養成校では2023年度の入学生より法改正に合わせた新カリキュラムとなります。現任の臨床工学技士に対しては、厚生労働省指定の告示研修を受けることにより拡大された業務に就くことができるようになります。また、2023年以前に入学した学生もその対象となります。

　第1章でも触れていますが、新カリキュラムの臨床実習は4単位から7単位に増え1単位30時間から45時間の間で調整されます。これらの増えた時間は、臨床の現場で経験を積むことはもちろんのこと、臨床実習前・後の技術や知識の到達度評価を行うことも含まれることとなりました。

　本書は、実習前の準備や、実習に行った後の自身の経験や進度をすり合わせ確認するためのツールとしておおいに活用できるものとなっています。また、実習中も対人関係で困ることや質問内容で困ることがあるかと思います。学生にしかわからない困りごとを解決するための手放せないバイブルとして、本書を活用いただきたいのが執筆者全員の願いです。

　改訂2版では、臨床工学技士のカリキュラム改定に尽力された（一社）日本臨床工学技士教育施設協議会の先生をはじめ、（公社）日本臨床工学技士会の理事の

先生方、現場や医療機器メーカーで活躍される臨床工学技士の先生方にご支援をいただきました。コラムに寄稿いただいた先生方は、これから現場に羽ばたかれる学生のみなさんのためにと、心を込めて、願いを込めてご執筆くださりました。どれも難しい話ではなく、みなさんに期待を寄せる声ばかりです。

　新カリキュラムでは、以前のカリキュラムに比べると、臨床実習で経験しないといけない項目/行為も明確化され、現場の臨床工学技士から直接、技術指導をいただく機会が多くなるかと思います。不安になり、今まで以上に勉強に費やす時間が増えるかと思います。ですが、臨床実習で指導いただく現場の先輩はみなさんの成長を楽しみにしておられます。また、一緒に仕事ができることを、学会で意見を交わすことを心待ちにしています。そのような先人の思いをぜひ汲み取って、力いっぱい臨床実習を頑張ってほしいと思います。

　準備をちゃんとすれば怖くない。目標をもてば怖くない。やるべきことを欠かさず行えば怖くない。大丈夫。胸を張って行ってらっしゃい！

　最後に、改訂2版の刊行にあたり丁寧に関わっていただき、形にしてくださいました丸善出版の長見裕子氏、関係者のみなさまに心より感謝申し上げます。

　2022年　向寒

北陸大学医療保健学部

髙橋　純子

はじめに

　臨床工学技士を目指す学生のみなさん。本書を手に取ったあなたは、おそらく臨床実習が近づいてきている、もしくは実習真っただ中という感じでしょうか。

　筆者は、現在大学で臨床工学技士養成校の教員をしています。過去には、看護師として、また臨床工学技士としての勤務経験があります。みなさんと同じように、看護養成校にも行き、臨床工学技士養成校でも学び、資格を取得しました。また、教える立場として双方の臨床実習指導も行ってきました。

　みなさんもご存知のとおり、この二つの臨床実習の内容は異なります。看護師の実習は、患者さんの日常の世話を中心に診療の補助を行うので、その役割に即した実習内容となります。そのため、半年の時間をかけてさまざまな診療部門・病棟で実習を行います。出会う実習指導者も患者さんも診療部門・病棟ごとに変わりますので、多くの対人関係が築かれます。また、原則的に臨床現場に学校の教員が毎日、始業から終業まで一緒にいるので、学生-教員-実習指導者の3者の連携は必然的にはかられ、受け持ち患者さんに対する看護計画（どうすれば患者さんはよくなり、苦痛が取れ、社会に戻してあげることができるのか）について日々カンファレンスが実施されます。

　一方、臨床工学技士の実習は、生命維持管理装置の操作や保守・点検が中心の実習なので実習期間は看護師よりは短く、患者さんとの接点も少ないですが、看護師同様にさまざまな診療部門で医療機器の操作を中心とした実習を経験します。しかし、教員は毎日臨床の現場にいることはありません。タイミングをみて様子を伺い、実習の進度を確認することになります。不公平な感じもしますね。学生からすれば、臨床実習先はいうなれば完全アウェー。唯一学生のことを理解してくれる教員がそばにいないのは心細いし、不安にもなりますね。

　本書を執筆したきっかけは、このような状況から臨床工学技士を目指す学生の不安を少しでも軽減することができればという思いと、学生の視点から感じた身

近で些細な疑問、教科書には掲載されていない、どちらかというとノンテクニカルな対人関係を中心に執筆された書籍がこれまでなかったということが背景にあります。

　実習先が決まり、実習指導者や患者さんとの出会い、実習中の教員との関係性など、実習の一連の流れに沿って、学生が困ったり、つまづきそうな部分について、わかりやすく丁寧に解説しました。執筆には養成校をはじめ、臨床や研究機関、職能団体で活躍している先生など多くの方に助けていただきました。また、筆者の大学に所属する学生にも、まだ見ぬ臨床現場をイメージしてもらいながらイラストを描いてもらいました。日本全国には、同時期に臨床実習をしている仲間がいるということを、このイラストを見ながら、何かしら励みになればと思い協力いただきました。

　本書は、臨床実習指導を担当される方にもぜひご一読いただければと思っています。臨床実習は学びの場なので本書タイトル『臨床工学技士のための 臨床実習が楽しくなる本』に少しくだけたイメージをお持ちになるかもしれませんが、実習指導を担当される方には、ご自身が学生であった頃を本書で思い出していただき、そのとき抱いた不安を払拭し、学生が毎日"明るく""楽しく""主体的"に実習するにはどうすればよいか、学生、教員とともに考えていただければ幸いです。また、実習生の態度やふるまいで困ったことがある実習指導者もいらっしゃることでしょう。本書はその部分もカバーできるものと自負しております。

　さぁ、学生のみなさん。実習指導者や関係者、患者さん、教員とよい人間関係を構築し、有意義に臨床実習期間を過ごしてください。困ったことがあれば本書を読んでください。無事に有資格者となれば、みなさんを待っている患者さんがたくさんいます。医療を必要としている人のために、これまで培った学びを臨床実習でさらに深めてください。一歩踏み出して、行ってらっしゃい！

　最後に、本書の企画から出版まで一緒に形にしてくださった丸善出版の長見裕子氏、関係者のみなさまに心より感謝申し上げます。

2018年　盛　夏

北陸大学医療保健学部

髙橋　純子

執筆者一覧

編者

髙橋 純子　北陸大学医療保健学部

執筆者

工藤 元嗣　日本医療大学保健医療学部　　　［5章，6章］

髙橋 純子　北陸大学医療保健学部　　　　　［2章，3章，4章］

中島 章夫　杏林大学保健学部　　　　　　　［1章］

Column 執筆者

青木 郁香　日本臨床工学技士会 専務理事　　［Column 3］
　　　　　（医療機器センター附属医療機器産業研究所）

井上 勝哉　フクダライフテック京滋株式会社　［Column 4］

岡本 長　　金沢赤十字病院医療技術部　　　［Column 6］

髙橋 純子　北陸大学医療保健学部　　　　　［Column 5］

野村 知由樹　日本臨床工学技士会 副理事長　［Column 1］
　　　　　（都志見病院臨床工学部）

本間 崇　　日本臨床工学技士会 理事長　　　［Column 2］
　　　　　（善仁会グループ 安全管理本部）

（所属は2022年10月現在，五十音順・敬称略，［　］内は執筆章）

もくじ

Chapter 1　実習先が決まったら　　1

1. 必ず経験しないといけない実習 ── 2
2. 不安になる理由を考えよう ── 4
3. 実習施設の特徴を知ろう ── 6
4. 受け身の実習はつらい ── 8
5. 実習の目標 ── 10
6. やっぱり事前の学習は必要なの？ ── 12
7. 実習中の身だしなみ ── 13
8. 自分のからだを大切にする ── 14
9. 実習当日は何をもっていくの？ ── 15
   - Column 1　現場で働く臨床工学技士から　16

Chapter 2　実習指導者との関わり　　17

1. 実習指導者はどんな人？ ── 18
2. 実習指導者は忙しい ── 20
3. 壁の華にはなりたくない ── 21
4. いつでも質問をして OK？ ── 23
5. 正直な自分が必要 ── 24
6. 時間を守ることと人の命 ── 26
7. 実習欠席における連絡 ── 27
8. そのタメ口が命取り ── 28
9. 「ほうれんそう」の大切さ ── 30
10. インシデントとアクシデント ── 32
11. こんな場面に遭遇したら ── 34

12	感染対策（感染拡大防止）	38
13	ハラスメント	43
	演習問題　45	
	Column　2　現場で働く臨床工学技士から　46	

Chapter 3　患者さんとの関わり　47

1	患者さんが受診にくるということ	48
2	透析療法を受ける患者さんの特徴	50
3	循環器疾患をもつ患者さんの特徴	54
	演習問題　56	
4	集中治療室で療養する患者さんの特徴	57
5	手術を受ける患者さんの特徴	61
6	臨床工学技士としてのコミュニケーションの必要性	66
7	知り得た情報は秘密です	68
8	患者さんが実習生に身を預けることとは	71
9	こんな場面に遭遇したら	72

Chapter 4　教員との関わり　75

1	毎日実習施設に行きたいけれど行けない現状	76
2	実習施設に現れる先生は神様に見える	78
3	実習の進度について確認しよう	79
	Column　3　現場で働く臨床工学技士から　81	
4	実習のつらい気持ち、ストレスをわかってもらう	82
	Column　4　現場で働く臨床工学技士から　85	
5	記録物の確認をしてもらおう	86
6	3者間カンファレンスで次の実習に備えよう	88
	Column　5　知っていたら少しは得をする（？）患者さんの移送　89	

| Chapter 5 | メモとレポート提出 | 91 |

1 実習先では何をみてきたらいいの？ — 92
2 メモはなぜとるの？ — 116
3 メモのタイミングと書き方 — 117
4 紛失はインシデント・アクシデントにつながる — 124
5 実習レポートとは — 126
6 実習レポートの標準的な書き方 — 128
7 丁寧さはやっぱり必要 — 136
- **Column　6** 現場で働く臨床工学技士から　139
8 締め切りを守ることは大事 — 140
9 引用・参考文献 — 142
10 残念なレポート — 144
- 演習問題《Step1》　146
- 演習問題《Step2》　147

| Chapter 6 | 実習を終えたら | 149 |

1 実習指導者や患者さんに感謝の気持ちを伝える — 150
2 お礼状の書き方 — 152
3 臨床実習は将来への階段 — 157
- 演習問題　159

［資料］タスク・シフト／シェアに関連した各種法令の改正について — 160
引用・参考文献 — 161
索　引 — 163

● イラスト　　大橋芽以

Chapter 1

実習先が決まったら

1　必ず経験しないといけない実習

　臨床実習は何のために行うのでしょうか。単位を取るためでしょうか。将来、臨床工学技士として必要な素養や知識を得るためでしょうか。臨床工学技士やそのほかの医療スタッフがどのように患者さんの治療にあたっているかを経験するためでしょうか。そのほかにも、臨床実習を行うための理由はたくさんあげられますが、どれもすべて必要なことです。

　2021年「良質かつ適切な医療を効率的に提供する体制の確保を推進するための医療法等の一部を改正する法律（改正医療法）」が成立しました。この改正の背景には、医師の働き方改革を進めるため、医師の業務を看護師や臨床工学技士などの医療従事者がそれぞれの専門性を生かせるよう業務分担を見直す（タスク・シフト／シェア、p. 160 も参照）ことで医師の負担軽減をはかろうという考え方があります。このことから、患者さんの治療に深く踏み込む医療行為も、臨床工学技士が行えるようになりました。

　そのため、これまでの授業内容では臨床現場に出たときに知識や技術が不足することから、2023年4月から新カリキュラムが導入されることになりました。卒業するために必要な「単位」について説明すると、臨床工学技士国家資格を取得するためのカリキュラムの中で、「臨床実習」は総単位数101単位中で7単位（1単位30時間〜45時間の範囲）が割り当てられます。旧カリキュラムでは4単位だったのですから、さらに多くの時間を実習に充てることになります。みなさんもご存知のとおり、国家資格を取得するためにはこの「臨床実習」の単位を取得しないと臨床工学技士の国家試験は受けられない、ということになります。

　しかし、単位を取るためだけに、「臨床実習」を行うのでしょうか。これはほかの科目にもいえることですが、単位や成績というのは学習した

結果であり、何のためにその科目を学習するのか、何のために「臨床実習」を行うのか、という**目的**（＝臨床工学技士として必要な素養や知識を得るため）をもつことや、単位を取得するための**課程**（＝臨床工学技士やそのほかの医療スタッフがどのように患者さんの治療にあたっているかを経験する）が大事なのです。

ちなみに、上述した臨床工学技士カリキュラムには、臨床実習の教育目標は、次のように掲げられています。

> 医療における臨床工学の重要性を理解し、かつ、患者への対応について臨床現場で学習し、チーム医療の一員としての責任と役割を自覚する。また、臨床工学技士として基礎的な実践能力を身につける。

臨床実習はカリキュラムの中で、国家資格を得るための集大成ともいえる科目・内容といえるでしょう。

将来自分がめざす職業の一端を経験できる貴重な時間となるので、臨床実習を行う意味をよく考えてから臨むようにしましょう。また、業務が拡大し、臨床工学技士の幅広い活躍が期待されていることを自覚し、多くのことを意欲的に学んでほしいと思います。

2　不安になる理由を考えよう

　臨床実習に行く前の学生と話をすると、みな不安な気持ちでいたり、緊張しています。自分だけが不安や緊張を抱えているだけではなく、臨床実習に行く学生、みんなが同じ気持ちになっているのです。それでは、どうして不安になるのか、緊張するのかについて一つひとつ、あげてみてはどうでしょうか（図参照）。

　知識・学習面は、実習前に勉強したことが通用するかなどで不安になるでしょう。コミュニケーション面では、実習中、臨床工学技士や実習指導者に質問されて答えられなかったら、自分から質問できるか、会話できるかどうかなどで不安になるでしょう。生活面では、朝、遅刻をしないか、実習期間の時間管理ができるかどうかなどで不安になるでしょう。体調面では、体調を崩さないか、風邪やインフルエンザに罹らないだろうかなどで不安になるでしょう。

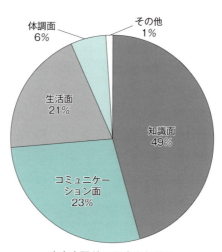

臨床実習前の不安な気持ち

1. 実習先が決まったら

　不安になったり緊張したら、自分1人でその気持ちを抱えるのではなく、実習目標（後述）を立てる機会を利用して、実習担当の教員や、すでに実習経験のある先輩がいれば相談してみましょう。きっと、何かしらのヒントをもらったり、違う視点からの意見が聞けることによって少し気持ちが軽くなったり、1人で解決できなことが解決するかもしれませんね。

3　実習施設の特徴を知ろう

　臨床実習先の施設が決まったら、そこで有意義な実習を行うためにも実習先の施設の特徴を調べ、知ることが大事です。これは、実際に就職するときに医療機関などの施設を調べるときにも役立つ経験となります。
　臨床実習先の特徴などの情報を収集する方法としては、施設のWebページをチェックする、実習担当の教員に聞く、あるいはもし親類・知人に医療関係者がいたり、該当施設の職員に知り合いがいたら、差し支えない範囲で直接話しを聞いたりすることができるかもしれません。また、すでに実習経験のある先輩から話しを聞いたり、前年度以前の臨床実習日誌・報告書などを見せてもらったりすると、より具体的な情報が得られると思います。

また、「臨床実習報告会」のような形で、臨床実習を終えた先輩がこれから臨床実習に行く学生に、おのおのの施設の特徴や感想などをプレゼンするプログラムを設けている養成校もあるので、いろいろな機会を利用するとよいでしょう（図参照）。

　ただし、得られた情報はあくまでもある側面から得られたものであり、自分が調べたり聞いた範囲となるので、自分が知っている情報が「すべて」だと過信せず、参考としてとどめておくとよいでしょう。

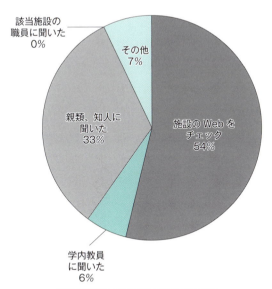

実習施設についての情報収集方法

4 受け身の実習はつらい

　臨床実習先は、いままで養成校で学んだ座学や学内実習などの基礎をもとに、まさに「臨床」上の経験をたくさん積み、貴重な経験ができる場所です。しかし、同時にその場所は、多くの医療従事者ほかスタッフが患者さんのために1分1秒を惜しみ、ミスを起こさないように忙しく働いている「臨床の現場」でもあります。そんな場所に、「臨床の経験」がまったくない実習生が混じるわけですから、臨床現場では実習生は「お客さん」ではなく「お邪魔虫」に近い立場になるわけです。でも、邪魔だからといって、部屋の片隅にいたり、わからないことを質問せず受け身のままで実習期間を過ごしてしまったら、「臨床の現場」で実習している意味がなくなってしまいますよね。

　受け身の実習にならないようにするためには、不安な気持ちを少しずつ解決したり（本章 1 項）、実習施設についての情報を収集したり（本章 3 項）、実習目標について真剣に考え、それを実習指導者へ伝えたり（本章 5 項）、実習がはじまるまでに実習で必要と思われる知識について学習をしたり（本章 6 項）など、いろいろな面から積極的な行動を取ったり、自分の意見や考えをアウトプットすることで、充実した実習が得られることになると思います。

　実習中、気になったことや疑問に思ったことを後回しせずに質問をしたり、実習指導者の説明の中に出てくるポイントをメモして後で日誌やレポートで調べたりすることは、臨床実習ではじめることではなく、それまでに培ってきた姿勢や習慣が大事だといえます。また、実習中は実習指導者の臨床工学技士をはじめとするスタッフの行動などに着目し、その行動や行為、コミュニケーションが何のために行われているかをつねに考えることも非常に大事です。実習指導者から受けた質問には簡単には答えられないだろうし、むしろ最初は緊張もあり、頭が真白になっ

てしまうこともあると思いますが、質問を受けてから3秒以上黙ることはNGです。質問されたら、まず返事をしたり、相づちをうつなりして、さらにわからない内容であれば、もう一度聞き直したり、「わからないので調べてきます」と素直に伝えましょう。

　　＊第2章 3 項「壁の華にはなりたくない」も参考にしてください。

5 実習の目標

　臨床実習をはじめるにあたり、実習目標を作成し、臨床実習指導者へ提出するのはどうしてでしょうか。

　実習目標を立てる理由はいろいろ考えられますが、大きく二つの面から考えることができます。

　一つ目の理由としては、学生にとって、経験したことのない「臨床の現場」で学ぶための目的意識をしっかりもつことが必要だからです。ところが、学生が目標を立てようとすると、「臨床の現場」を知らない、「臨床の経験」がまったくないため、具体的な目標を立てるのに苦労すると思います。しかし、この目標を立てる、という作業を通じて、不安な気持ちが少しずつ解決できたり（本章 1 項）、実習施設について情報を収集する段階で生じた疑問がわかったり（本章 3 項）、業務内容のイメージがつかなかったところを整理したり（本章 6 項）、などのメリットが生じます。

　一方、もう一つの理由は、実習生を受け入れる臨床実習指導者側が、実習生がどのような目的で実習に臨もうとしているのか、という姿勢の一端をつかむ材料となります。

　学生にとっては、事前に未知の世界である「臨床の現場」に関する実習の目標を立てることはとても難しいかもしれませんが、苦労して自分で考えた目標に対して、臨床実習指導者の方々は温かい目で見守ってくれるはずです。さらに、実習がはじまって半ばぐらいのときに、それまでの実習での経験を踏まえて、新たな実習目標を立てることが大事な作業となります（表参照）。

1. 実習先が決まったら

実習前目標と追加目標（例）

	実習生A	実習生B
実習前目標	●座学や学内実習では学ぶことができない現場での臨床工学技士の働きを学びたい。 ●とくに人工心肺の操作は術式などによって変わってくると思うので、機器の操作中、臨床工学技士がどこに注目し、どんな変化に注意しているのかなど見てつかみたい。 ●透析業務では患者さんと直接関わることができると思うので、臨床工学技士が治療中、どのように患者さんに接しているかを学びたい。 ●実習中は積極的に質問し、できるだけ多くのことを吸収して、将来に生かせるような実習にしたい。	●院内での幅広い臨床工学業務の中で、臨床工学技士の院内全体における立場や役割を考えたい。 ●自分がもっとも興味のある手術室での人工心肺業務はもちろんのこと、透析・救命救急・心臓カテーテル業務など、多くの臨床現場を見学することで、自分の知見を広げたい。 ●何ごとにも積極性をもって取り組む姿勢を忘れず、臨床実習指導者の指示を仰ぐだけでなく、自分で考え、行動できるようにしたい。
追加目標（実習中日）	●後半の透析室や病棟での実習は、実習前に立てた臨床工学技士と患者さんとの関わり方を中心に、各部署での臨床工学技士の動きを見たい。 ●残り後半の実習では、臨床現場で当たり前に使われている略語などを理解できるように積極的に取り組み、吸収していきたい。	●前半の実習を終え、ICU、手術室、透析室などでの臨床工学業務を通して、呼吸・循環・代謝のはたらきや業務がそれぞれ密接につながっていることがわかった。そのため、自分の知識の中でそれぞれの知識量を増やしていくだけでなく、生体（患者さん）のはたらきや臨床業務上の横のつながりを意識しながら学ぶ必要があると感じた。 ●残り後半はいままで学んだことを生かし、理解した知識をアウトプットできるよう、積極性を忘れず行動し、学びたい。

6　やっぱり事前の学習は必要なの？

　将来、臨床工学技士として働くことをめざしている学生にとって、臨床工学技士国家試験取得のためのカリキュラム中、最後の総まとめが臨床実習といっても過言ではありません。その大事な臨床実習に臨み、充実した経験を得るためには、そのぶん事前の準備・学習が必須になることは前項までの説明で理解できたでしょうか。

　それでは、具体的にはどのように学習したらよいでしょうか。

　自分で計画をたてて学習するのは基本中の基本ですが、養成校側としては学生が学びやすく、体系的なカリキュラムや学習プログラムを構築し、そのなかで学生が積極的に取り組める環境をつくるのも一つの方法でしょう。実際の学習体系としてはいろいろな方法があります（図参照）。座学や学内実習で学んできた内容を見直すために、実習前1ヵ月程度の期間をつくり、総復習できる方法を学生自身が見つけ、取り組むことが大事です。

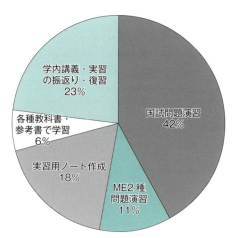

事前学習の方法

7　実習中の身だしなみ

　実習前の学生から質問される項目の一つに髪の毛の色があります。髪の毛の色を、地毛の色からほかの色に染めることは学生時代にしかできないことかもしれないので、とくに反対はしません。しかし、真っ黄色や真っ赤に染めた髪の毛のまま臨床実習に行くことは NG です。地毛が真っ黒でない人もいますので、どの程度が妥当かどうかは各養成校と臨床実習施設での相談で決まり、決まったこと対しては、基本的に学生は従いましょう。また、ピアスやそのほかの装飾品も、身につけることは基本 NG です。なお、実習中に着るケーシーや白衣がよれよれで汚れていたり、きつい汗の臭いや体臭がついたままでは、患者さんはもとより、臨床現場のほかのスタッフにも迷惑がかかるだけでなく、衛生上の問題が生じてきますので気をつけましょう。

　臨床実習施設では、患者さんからみると、学生はその医療施設スタッフの1人として映りますので、髪の毛の色や着ている服装などの身だしなみだけにとどまらず、医療人・社会人としての基本マナーを身につけておくこともとても大事ですね（表参照）。

臨床実習に必要な基本マナー10箇条

1. あいさつを励行する
2. 自分が現在おかれている立場をわきまえる
3. 相手の意見を聞き、相手の立場に立って考える
4. チームワークを尊重する
5. 丁寧な言葉づかいをする
6. さわやかな態度、清潔な服装を身に付ける
7. 「イエス」と「ノー」をはっきりと使い分ける
8. 時間を守る、約束を守る
9. 言い訳や自己弁護は慎む
10. 笑顔を絶やさない

8　自分のからだを大切にする

　現在、臨床工学技士カリキュラムの中で行われている臨床実習の日数は、概ね 30 日間となります。足かけの日数として、約 1 カ月半から 2 カ月にわたり、学生は慣れない通学経路を使って施設まで通い、日々緊張の中、多くの新しい事象を経験する毎日となります。この実習期間中、体重を落としてしまう学生もいます。

　そこで、実習期間中に体調不良で欠席などをすることなく無事に乗り切るためには、自分自身（自分のからだ）を知ること、自分のからだから発せられる SOS 信号（風邪ひきそう、喉が痛くなりそう、など）には、通常以上に敏感に対応しておく必要があります。実習期間中は 1 日も欠席しないことを心がけることはもとより、「夕べアルバイトのシフトが遅くまで入っていて、今朝寝坊してしまいました」などの遅刻は認められません。一方で、実習は休めないから、と無理をして体調を崩したり、インフルエンザなどに罹っていることを隠して実習現場にでてしまうと、周りのスタッフだけでなく患者さんの体調にも影響が出てしまう原因につながってしまいます。体調不良のときは無理をせず、養成校や実習先施設で取り決めた手順に則って報連相（ほうれんそう）しましょう（p. 30 も参照）。

1. 実習先が決まったら

9　実習当日は何をもっていくの？

　実習初日、透析室、手術（オペ）室、ICU（集中治療室）、心臓カテーテル室など、おのおの部署ごとでの着衣種類（ケーシーまたは白衣、術衣など）、履き物の種類や色は、各実習病院で少しずつ異なります。実習中に取るメモの要・不要、大きさの概略などについても部署ごとに可否が分かれてくる場合があります。実習に必要な持ち物については、事前あいさつなどで実習先を訪問し、実習指導者と話す機会に必ず確かめるか、実習担当の教員に確認を取りましょう（表参照）。

持ち物リスト例

- 臨書実習ガイドブック・日誌（養成校作成・配布）
- ケーシー、または白衣（あるいはその両方）
- 名札（病院指定名札ケース、または養成校指定タイプ）
- 上履き（スニーカータイプ、色：白、など）
- 実習ノート（A6判程度以下の小型タイプ）、筆記具
- 昼食用代金、またはお弁当など
- 各自必要とする参考書、指定された参考書など
- その他

Column 1　現場で働く臨床工学技士から

「痛たっ！」という声に、驚いたスタッフの視線が集中する。そして僕の指先からは血がぽたぽたと床に落ちる……。

これは私が入職して間もない日の出来事です。「アンプルを切って、造影薬剤をシリンジに吸いとる」という、今ではどうってことない簡単な作業が、不器用な私にとってはとても難しい作業に感じました。

そのとき僕は、「学校で習ったことは基礎中の基礎だったのだな。僕に臨床での実技ができるようになるのだろうか？」と不安に思いました。実際にやってみることの大切さが身に染みた瞬間でした。

私の尊敬する吉田松陰が好んで使われた言葉の一つに「飛耳長目（ひじちょうもく）」という言葉があります。いろいろな意味で使われる言葉ですが、私は「耳をそばだててよく聞きなさい。目を見開いてよく見なさい」世の中の出来事につねに敏感であれ！　という教えだと解釈しています。

松陰先生は、29年の短い生涯のうちじつにたくさんの旅をしています。彼に関連する書物を読むと、その旅には必ず目的があり、知りたいことや体験したいことがあれば、自分の足でその場に赴き、実物を自分の目で見て、生の声を聞いて、"実際に体験することが重要である"と、考えていたことがよくわかります。

臨床実習は、学生のみなさんにとって学校で学んだ知識という弁当を携えて臨む最初の旅ではないでしょうか。臨床実習の舞台はまさに生の現場です。私は、学生のみなさんに臨床実習というその貴重な時間を、「たくさんのことを経験したい！　見たい！　聞きたい！」という積極的な姿勢で過ごして欲しいと思います。そして、みなさんが過ごしたその時間が、次の旅に備える糧として十分な準備期間になることを心から願っています。

私もまだまだ旅の途中です。みなさんの旅もまだまだ続きます。これから先、同じ旅人同士としてどこかで出会い、熱く語り合えることを楽しみにして旅を続けることにします。

公益社団法人　日本臨床工学技士会
副理事長　野村　知由樹
（医療法人医誠会　都志見病院　臨床工学部）

Chapter 2

実習指導者との関わり

1　実習指導者はどんな人？

　実習に行ったら、どんな人が教えてくれるのだろう。優しいかな？　怖いかな？　厳しいかな？　気になりますね。
　臨床実習のメインの指導者は、臨床工学技士の先輩たちです。臨床工学技士は病院内でさまざまな業務を担っています。それぞれの業務を担当している技士が教えてくれることになります。そのなかには優しい人、無愛想な人、こと細かに説明してくれる人、話し下手な人などさまざまです。しかし、どの実習指導者も教えることに一生懸命な人たちです。そこは個性としてとらえてください。また、施設によっては「実習生担当」という技士がいます。その人たちは担当している業務を教えてくれるのはもちろん、「来週の予定はこれだから予習してきてね」「今日1日どうだった？　業務のこと以外で何かあったらいつでも聞いてね」など、実習生の管理をしてくれる心強い先輩たちです。
　先に述べたように、臨床工学技士はさまざまな業務を行うので病院内のいろんな場所で働いており、そこには医師、看護師、薬剤師、臨床検査技師、診療放射線技師、理学療法士などほかの職種の人がたくさんいます。たとえば透析室では、看護師も一緒に透析業務を行い、患者さんを見ています。そこで患者さんの状態や透析技術などを看護師に教わることもあります。また、手術室では医師が疾患や術式などを教えてくれたり、術野を見学させてくれたりすることもあります。実際の業務を教えるのは臨床工学技士ですが、携わる業務によっては医師や看護師のほか、病院の事務職員や清掃などを担当している方も、実習生にとっては実習指導者なのです。
　実習指導者は実習にきた学生たちにしっかり学んでほしいという思いがあります。かつては、先輩たちも実習生としてその先輩たちの指導を受けていました。その頃の自分を思い出しながら、たくさんのことを教

えてあげたい、ここでしか学べないことをしっかり身につけてほしいという気持ちでいっぱいなのです。

　なお、2021年の臨床工学技士法の改正に伴い、学生の臨床実習における教育の質の向上と、実践的なスキルをより効果的に習得できる環境を整えることを目的に、臨床実習を受け入れる側においても、厚生労働省が指定する"臨床実習指導者講習会"を修了した指導者の配置が義務づけられました（臨床工学技士養成所指定規則）。つまり、実習指導者の在り方に加え、学生評価の方法やハラスメント対策、学生とのコミュニケーションの取り方などをしっかり学んだ人が指導者としてみなさんの対応をしています。臨床現場で学生が安心して学べるよう受け入れる指導者も日々、勉強しているのです。

2　実習指導者は忙しい

　実習指導者は、実習中つきっきりで教えてくれるわけではありません。病院では毎日透析や手術が行われています。担当業務をこなすのが最優先です。ちょっとした空き時間でも、「救急で患者さんが運ばれてきたから早く人工呼吸器持ってきて！」なんてよばれることも日常茶飯事です。時には、学生に教えようとした途端、病棟からコールがあり、「ちょっと戻ってくるまで待っててね」といって指導が中断されるということもよくあります。そして、学生はなかなか戻ってこない実習指導者を心配して、勇気を出して別のスタッフに「○○さんに質問があるんですけど、どちらにいらっしゃいますか？」と声をかけるのですが、「あ～、今は会議に行ってるよ」「戻ってきてもまたすぐ別の会議に行っちゃうと思うよ」などと、回答されることもよくあります。

　治療に携わるという職業上、医師と同等に多くの領域で呼び出されることもあるのが臨床工学技士です。人の命を守るうえでの忙しさであることを自覚しましょう。実習中は、その貴重な時間をいただいて教えてもらっているという認識を忘れないようにしてください。

3 壁の華にはなりたくない

　"壁の華"って初めて聞かれる言葉でしょうか？　もともとは舞踏会やパーティーで、会話の輪から外れ壁際に立っている女性を表し、ただその場にいるだけで消極的な人をさすときに用いられます。この例えを、実習生である学生に連想させる場面があるのです。実習中ずっと動かず、自ら見に行かない、聞きに行かない、いつも一番近くにいるのは壁……。おそらく好き好んでそうなっているわけではないと思いますが、いまいち一歩踏み出せない実習生が多いのも事実です。

　もちろん、手術中に「(触ったらダメだから) ちょっと端で見学しててね」と指示を受けることがありますが、それとつねに壁際にいることは違います。「好きに見学していいよ」と言われても、隅っこに佇んだままキョロキョロしている、あるいは1点を見つめたままで行動できないなど、実習指導者からすると本当に理解できているのかわからないことがあります。

　なぜ、このような"壁の華"になってしまうのか考えないといけません。おもな原因として、❶ その日の実習計画が成り立っていない、すなわち実習目標が立てられていないので何をすればよいのかわからない、❷ 予習ができておらず、何をしているのかわからない、❸ 緊張してしまい頭が真っ白、❹ 体調が悪い、ということが考えられます。

　❶、❷は自分の勉強しだい、臨床実習への向き合い方の問題です。実習指導者や教員とよく相談しながら、どのように実習を進めていくべきか、何を予習すべきかを確認しましょう。❸、❹は、たとえば手術室やカテーテル室など特殊な環境で実習する場合、いつもとは違う緊張感が押し迫ってきます。実習指導者もそのことは十分に理解し、指導にあたりますが、業務のかたわら実習生の状態を終始監視することが難しい場合もあります。緊張していること、調子が良くないことは自らが表現

し、実習指導者に伝えなければ理解してもらえないことがあるので、勇気を出して声をかけてみてください。

いずれにせよ、「今聞きに行って大丈夫かな、見に行ったら邪魔になるかな……」なんてずっと考えていても何も始まりません。まず、声に出して確認しましょう。そして、実習指導者の指示に従いながら、どんどん見て聞いてたくさんのことを吸収してください。それが実習なのです。

　　　　　＊第1章 4 項「受け身の実習はつらい」も参考にしてください。

4 いつでも質問をしてOK？

　実習が始まると、実習指導者は「わからないことがあったら遠慮せずにいつでも聞いてね」と声をかけてくれます。しかし、何も考えずにそれを真に受け止めると、注意を受けることがあります。

● たとえば、透析室での実習場面
指導者　「今から患者さんに穿刺するから見ていてね。
　　　　　じゃあ○○さん、今から針刺しますね」
実習生　「あ、あの～　すみません、なぜここを穿刺するのですか」

　学生にしてみれば、格好のタイミング!!　とガッツポーズかもしれませんが、じつは大きな間違いを犯しています。患者さんの立場、実習指導者の立場になって考えてみてください。実習指導者は、いままさに患者さんの腕に針を刺そうとています。「今は話しかけるな!!」と、思いませんか。患者さんも"ドキッ"としたり、不審に思うことでしょう。

　この事例は比較的わかりやすいですが、たとえば、急患が入ってきてバタバタしているとき、患者さんと治療の話や教育・指導を実施しているとき、他者との会話、ディスカッションをしているとき、治療機器や生命維持管理装置の一切の操作を任され向き合っているとき、警報アラームや呼び出しがあったときなど、このような状況では実習指導者に話しかけにくいですね。いつ質問したらよいか、そのタイミングがわからない実習生もいるでしょう。アドバイスとして、質問をする前に、「今、質問してよろしいですか」と必ず声をかけてみてください。そうすれば「今はダメ、後にしようか」とタイミングが悪ければそのように返事をしてくれます。良いときはすみやかに疑問に耳を傾けてくれることでしょう。

5　正直な自分が必要

　実習では正直であることが大事です。以下の実習指導者と実習生とのやり取りをみていきましょう。

指導者　「これが人工呼吸器ね。換気モードとか学校で習った？」
実習生　「たぶん（覚えてないけど……）、習ったと思います」
指導者　「じゃあ、今これはPCだからこの波形見て」
実習生　（ん？　PC？　何だっけ？）
指導者　「こっちの患者さんはCPAPだからもうすぐウィーニングするよ」
実習生　（しーぱっぷ？　うぃーにんぐ？　えーっと、何の話？）
　　　　「……すみません。説明の意味がわかりません」
指導者　「あれ？　習ったって言ったよね？」
実習生　「習ったか覚えてなくて、思わず習ったって言ってしまいました」
指導者　「ちゃんと言ってくれないと教えられないよ」
実習生　「すみません……」

　これは極端な例ですが、覚えてないのに覚えてますなんて勢いで言ってしまうと、後々たいへんなことになります。実習指導者は実習生の知識や理解の程度を確認しながら説明してくれます。知らないことだったら基本的な内容から、知っていることだったらそこを飛ばして説明が始まります。実習中は限られた時間で教えなければならないので、なるべく無駄なことは省きます。そのため知らないまま説明が進んでしまうとまったく身につかない実習になってしまうのです。じゃあ全部知らないって言っておこう、というのもナンセンスです。知っていることしか説明してもらえない可能性がありますし、「そんなことも教えてないん

ですか」と、養成校での教育の質を問われることになりかねない場合もあります。

　習ったのに忘れていたら「忘れてしまったのでもう一度教えてください」と伝えればきちんと教えてくれます。見栄を張らず、自分を飾らず、知ったかぶりをしないで、正直にありのままを見せてください。それが実習に臨むうえでとても大切なことなのです。

　そしてもう一つ、正直になってほしい大切なことがあります。実習中の作業で滅菌物を不潔にしてしまったり、透析回路（ダイアライザー）などの機器点検の際に気づいたどんな小さなことでも、見なかったことにせず、必ず実習指導者に報告しましょう。それが直接患者さんの命や立場を悪くすることに発展する場合もあるからです。

6　時間を守ることと人の命

　時間の感覚は人それぞれです。友だちとの約束の時間、授業が始まる時間、テストが始まる時間、電車の時間など毎日たくさんの時間を意識して生活している人がほとんどだと思います。学校だったら、授業にちょっと遅刻しても、「すみません」ですむ場合があります。また電車の時間に遅れたら、次でいいかと諦めることもありますよね。しかし、病院で時間を守れなかったらどうなるでしょうか。

　たとえば、「急患で大動脈解離の患者さんが来るよ！　すぐに手術の準備して！」という状況に遭遇したとき、「今の業務がまだ終わらないから、もうちょっと後で準備しよう」「（ちょっと出かけていて）数分遅れても大丈夫かな」なんて考える臨床工学技士はいません。大動脈解離に限らず、緊急手術が必要な患者さんはみなすぐに処置をしないと命に関わる状況にいます。手術にはたくさんの機器・機材が必要となり、それらが準備万端でないと安全な手術が行えないのです。人の命がかかっている、1分1秒を争う状況なのです。準備が遅くなって手術開始が遅れたら助かる命も助からなくなります！

　このような時間が守れない人は実際の病院にはいないはずですが、ちょっとくらい遅れても大丈夫という癖をつけてしまうと、いざというときに取り返しのつかないことが起こるかもしれません。これは実習生であるみなさんにもいえることです。"学生だから大丈夫"という甘い考えは持たないようにしてください。

　万が一、実習中に指導者と約束したこと（たとえば、遅刻やレポート提出など）に対して遅延した場合は、遅延した理由を正直に話して謝罪をすること、また、遅延することがわかっているときは事前に指導者に伝えましょう。

7 実習欠席における連絡

　体調不良などにより臨床実習に出席できない場合はどうしたらよいのでしょうか？

　きっとみなさんの養成校では、必ず実習指導者へ早々に連絡をすると同時に、養成校の実習担当の先生にも併せて連絡をすることを約束事として事前説明を受けているのではなないでしょうか？

　実習施設に電話をかけるときは、施設の代表番号から部署の実習指導者につないでいただくことになりますね。部署の名称、実習指導者のフルネーム（同姓の方もいらっしゃるので気をつけてください）を事前に確認してください。また、施設へ電話をする際は、スタッフの勤務時間を把握して電話をしなければなりません。指導者がまだ施設にいらっしゃらないこともあります。たまたま同部署の方が出られたら、欠席する旨を伝えれば良いと思いますが、その際は「お手数ですが実習指導者にお伝えください」と、お願いすることです。場合によっては、「担当者が○時○分に来るから、もう一度その時間に電話をしてください」と指示されることもあります。

　就職活動などで事前に欠席をすることがわかっている場合は、養成校で指示されたとおりの手続きをとり、実習指導者に事前にその旨を伝えると安心です。ちなみに、筆者の大学では、欠席届の様式があるので学生はそこに必要事項を記載し、事前に実習担当教員に提出し許可を得ます（教員は認印を押します）。その後、欠席届の複写を実習施設に持参し、学生が直接指導者に許可を得る方法となっています。

8　そのタメ口が命取り

　初めての透析室実習で、実習指導者が実習生を、患者さんに紹介しました。

　指導者　「Aさん、今日から実習にきている△△くんです」
　実習生　「△△です、よろしくお願いします」
　患者A　「しっかり勉強してね。透析を受けている私たちのこともいろいろ聞いてもらっていいからね」
　実習生　「ありがとうございます！」

　その2週間後。

　患者A　「△△くん、慣れてきた？」
　実習生　「うん、慣れてきたよ。みんな優しく教えてくれるし。Aさん今日の調子どう？」
　指導者　「ちょっと△△くん、患者さんにそんな言葉遣いダメでしょ」

　透析室では1日おきに同じ患者さんに会うため、だんだんと気が緩んできてしまいます。いつも会っているから"まぁ、いいか"なんて思っていると実習指導者の注意を受けることになります。さらにそのやりとりを見ていたほかの患者さんから「あの実習生、礼儀を知らないの？」と言われかねません。

　集中治療室ではこんな出来事もありました。

　指導者　「このモニタ心電図を見て何か気づいたことある？」
　実習生　「えーっと、ペースメーカーの心電図」
　指導者　「どこでわかった？」

2. 実習指導者との関わり

　実習生　「スパイクが出てるから」

　このやりとり、ちょっと違和感がありませんか。実習生の言葉遣いが友達と話しているように聞こえます。教えてもらっている立場なのですから、きちんと敬語を使わなくてはいけません。
　「はい、ペースメーカーの心電図だと思います」
　「波形にスパイクが出ているからです」
　せめてこれくらいの言葉遣いをしてほしいと思います。
　後で聞くと、「僕、敬語使えないんですよね〜」と平気な顔で答える実習生もいます。そうなると、病院内のスタッフから、「あの実習生、言葉の使い方も知らないの？」「教えてあげる気にならないよね」なんて言われかねません。
　タメ口一つで、実習すべてが台無しになってしまうこともあります。学ばせていただいている立場を理解していればタメ口は使えないはずです。言葉遣いには気をつけてください。

9 「ほうれんそう」の大切さ

「"ほうれんそう"って、あのお浸しにしたらおいしい野菜ですよね」なんて言ったら笑われます。病院に限らず仕事をするときにとても重要な言葉なのです。

"ほうれんそう"とは、"報告・連絡・相談"のことです。何をするにも、上司や先輩、あるいは同僚や後輩に至るまで、"ほうれんそう"をすることがとても重要となります。これは実習生と指導者の関係でも同じことです。

● 報告：ほう

「今日は透析患者さんと話をしました」「手術の見学で術野を覗かせてもらいました」ということも立派な報告です。話をして何を学んだか、術野を見学して何を感じたか、という内容は後でしっかりとレポートに記載してください。それを聞いて、実習指導者は話をしてくれた透析患者さんや術野を見学させてくれた医師に、実習指導に協力してくれたことに対してお礼を述べることができます。これはとても大事なことです。

本章の最初にも書きましたが、病院内のあらゆる人が臨床工学技士だけでは教えられないことを教えてくれます。それを当然だと思わず、つねに感謝の気持ちをもつことで、次の実習につながっていくのです。

● 連絡：れん

朝、実習施設に少し遅れてしまいそうというときは必ず連絡してください。5分くらいだしまあいいか、なんて思って到着すると、実習指導者から「来ないから事故にあったのかと心配したよ」「学校に電話して何かあったのかうかがったよ」なんて、大ごとになることもあります。

別の例では、実習指導者から昼休み（1時間）をとったら実習室に戻ってくるよう、実習生が指示を受けました。昼休み後……、「トイレ

行っておくの忘れてた。今から行くと1時間すぎちゃうけど担当の指導者いないし……、まあいいか」なんて軽く考えて、何も言わずに姿を消してしまうと、「実習生戻ってきてないけど、どこ行った？」「時間間違えてる？」と心配されたり、「なんで時間どおりに戻ってこないの！」と注意を受けることもあります。

　「別の指導者はいらしたのですが、今日は実習指導をしてもらってないので言わなくていいかなと思いました」という言いわけは通用しません。近くに実習指導者以外の方しかいなくても、伝言を残すなど、連絡しておく必要があります。

● 相談：そう

　これは少し難しいかもしれません。たとえばレポート作成で、
　「これでいいのかな、もっと違うこと書いたほうがいいのかな、どうしよう……。悩み過ぎて何も書けなくなっちゃった」
　このようなことになる前に、まずは相談です。言いにくいかもしれませんが、悩んだままでは実習自体も手につかなくなります。実習指導者は、実習生は何を考えているんだろう、気になることはないかな、楽しく実習できているかな、などつねに考えています。実習の進度や患者さんのこと、体調管理のこと、心配なことなど、互いに良い実習にするためにちょっとしたことでも相談してください。この相談をすることで、ますます実習指導者との距離も近くなることでしょう。

10　インシデントとアクシデント

　厚生労働省はインシデントとアクシデントを次のように定義しています。

　インシデント　「日常診療の場で、誤った医療行為などが患者に実施される前に発見されたもの、あるいは誤った医療行為などが実施されたが、結果として患者に影響を及ぼすに至らなかったもの」
　アクシデント　「医療行事故に相当するもの、事故」

　アクシデント（事故）と聞くと、「何か患者さんに関わる重大なことをしてしまったら、もう実習が続けられない」と考えてしまうでしょう。
　実習指導者の指示と異なることをしたり、指示がないのに勝手なことをしてしまうと、取り返しのつかないことが起こる場合があります。そこは十分に気をつけないといけません。しかし、指導者は実習生が勝手なことをして問題が起きないように、つねに目を光らせています。
　見守っていてくれる安心感があるから無理をしてもいいことにつながりません。まずはしっかり指示どおりに実習を行うということを肝に命じてください。また、インシデントやアクシデントに自身が関与した場合は、実習指導者や教員に必ず報告してください。
　透析室での一例を紹介します。

> 　実習指導者から、「透析回路のプライミングの練習をしてみよう」と指示をされた実習生。そこで、見よう見まねで回路をセットし、後は水を通すだけの状態までできたところ、あれ？　水がこない。慌てて何が違うのか周囲を見回すと、回路の先端がベッドの上に置かれたままで、そこから水がとめどなく流れ出ている。水を止めたときにはベッドはびしょびしょに水浸しになっていました。

実習指導者だけでなく、まわりの臨床工学技士、看護師全員に陳謝し、立ち直れないくらい落ち込んでいるなか、唯一の救いは看護師の「水だけだし今から乾かせば大丈夫よ。気にしないで」という神のような言葉でした。

こういうこともインシデントの一つです。インシデントレベルは低いかもしれませんが、ちゃんと理解しないままやってしまったという結果起こったことです。これが水以外のものだったり、患者さんに影響を与えてしまうことだったら、なんて考えると恐怖でしかありません。

影響に基づくインシデントとアクシデントレベル

影響レベル	分類	内　容
レベル 0	インシデント	誤った行為が発生したが、患者に実施されなかった
レベル 1		誤った行為を患者に実施したが、患者に影響は及ぼさなかった
レベル 2		行った医療または管理により、患者に影響を与えた
レベル 3a	アクシデント	行った医療または管理により、本来必要でなかった簡単な治療や処置が必要になった
レベル 3b		行った医療または管理により、本来必要でなかった治療や処置が必要となった
レベル 4		行った医療または管理により、永続的な障害が発生した
レベル 5		行った医療または管理が原因で患者が亡くなった

［レジリエントメディカル Web サイト、https://resilient-medical.com/incident/incident-accident-difference］

11　こんな場面に遭遇したら

(1) 電話の対応

　もし、あなたが臨床工学技士（CE）室に1人で記録物を作成しているときなどに電話が突然鳴ったらどうしますか？　取って伝言を聞いたほうがいいでしょうか？　大事な内容だったら困るから取らないほうがよいでしょうか？

　この場合、まず一番最初に実習指導者に、電話への対応について事前にどうすればよいかを確認すべきです。実習施設によっては、実習生に電話をとらせないという方針のところもありますし、電話の応対も実習として対応してほしいと考えているところもあるからです。

　電話応対の際には、学生（実習生）であることを、最初にしっかり名のりましょう。学生であることがわかれば、電話をかけてきたほうが、かけ直したり、別の人に連絡し直すなど次の判断ができるからです。

● 電話を受けたときに留意すること（必ずメモを取ること）
　❶ 相手はどの部署の誰か
　❷ 誰あてにかかってきたか
　❸ 折り返しは必要か
　❹ 何時にかかってきたか
　❺ 要件はきかない
　（もし先方から要件を切り出され理解できない場合は、"理解できない"ことを伝えましょう。）

(2) 伝言を受ける場合

同じように、あなたは CE 室に 1 人でいます。看護師が入ってきてあなたを臨床工学技士だと思って、

「この輸液ポンプ壊れてるみたいなんだけど、見てもらえますか」と言って病棟に帰って行きました。

実習指導者が戻ってきて経緯を説明すると、「どこの病棟の看護師さん？　どこが壊れているのか言ってたかな？」と質問をされ、伝言を受けたあなたは、「聞いてません……」と返事をすることになります。すると、「勝手に受け取らないでくれる」と、実習指導者から注意を受け、叱られてしまいました。では、どうすればよかったのでしょうか？

まず、この場合も自分が実習生であることを最初に看護師に伝えます。対応できないのでもう一度看護師にきてもらうのが理想ですが、看護師はとても忙しいのでそんな時間はありません。故障内容のメモを書いてもらうか、後で電話してもらう、最低でもどこの病棟のなんという看護師かを必ず聞いておきましょう。そうすれば、臨床工学技士から連絡を取ることができます。伝言を受けるというのはここまでしないと、どこかで行き違いが起こってしまいます。

(3) 指導者との昼食・休憩

さて、実習指導者と一緒に食堂で昼食をとることもあるでしょう。休憩時間も実習指導者と一緒に過ごすのは少し疲れてしまうな、と思う人もいるかもしれませんね。

休憩時間は業務によって変わってきますので、必ずしも学生同士でとれるとは限りません。透析など1日の時間がきちんと決まっている業務は休憩時間も決まった時間にとることができますが、手術中などいつ終わるかわからないときは、ちょっとした合間を縫って休憩をとったり、手術が終わるまで休憩が取れないということもあります。そういった1分1秒を気にしているときにいつものペースで休憩をとることができないのも医療従事者の現状です。また、指導者の気持ちとして、どうしても見学してもらいたい症例などがあれば、急いで戻ってきてもらったりすることもあります。

　とはいえ、たいていはしっかり休憩を取ってもらいますので安心してください。実習指導者との昼食では、臨床実習の現場では聞けない話、将来の話、就職の話など、現場での指導内容とは異なる話を聞けるチャンスでもあります。実習が終わればみなさんも社会人になり、このような状況が毎日続きます。つまり臨床実習は、みなさんが社会に出るという準備や覚悟を促してくれる場でもあるのです。

　また、本章 12 項でも触れますが、感染症拡大防止のために昼食など食事の際は"黙食"を求められることがあります。食事が終わればすみやかにマスクを着用することも求められます。

（4）報告する指導者がみつからない

"ほうれんそう"のところでも書きましたが、報告すべき、また担当指導者がそばにいないことはよくあります。

「あれ？　ちょっと出るねと言って戻ってこない。もう手術終わりそうだけど……」ということもあるかもしれません。

少し心許ないかもしれませんが、どこに行ったのだろうとふらふら探しに出たり、下手に動いてはいけません。ちゃんと戻ってくるので待ちましょう。

また、1日が終わり、実習指導者に報告と明日の予定を確認したい場合に報告すべき担当指導者がみつからないときは、まず一番近くにいる臨床工学技士に「○○さんはどこにいらっしゃいますか」と聞いてください。そうすれば連絡を取ってくださり、このまま待っていればよいのか、あるいは移動先などの指示を受けたりすることができます。この場合も、まずは勇気を出して声をかけることが鉄則です。

12　感染対策（感染拡大防止）

　みなさんの養成校でも新型コロナウイルス感染症の感染拡大防止の観点から、臨床実習が中止になったり、延期になったケースがあったかと思います。臨床の現場を見れないことの残念な思いや、臨床実習に行けなかったことで、自身がこれから受ける国家試験の勉強や就職後の技術面などにも影響するのではないかという不安に駆られるのもよく理解できます。でも、全国の同級生もみな同じ状況であることを忘れないでください。また、そのような学生に不利にならないように代替実習も用意されています。焦ることはありません。

　このような状況下において何が大事かと考えたとき、実習生を介して患者さんや病院スタッフに感染を広げてしまうことのほうが怖いことなのです。逆もまた然り。みなさんが感染する可能性もあります。医療従事者を目指すみなさんのことですから、このあたりはよく理解されているかと思います。

　筆者の実習生が、新型コロナウイルスの感染拡大防止にあたり実習指導者から次のような注意を受けたことがあります。みなさんも参考にして、再度手技手法について復習をしてください。

- スタンダードプリコーション（標準予防策）に基づく手洗いができていない ➡ 丁寧ではなく、手技が間違っている
- アルコールによる手指消毒ができていない ➡ 丁寧ではなく、手技が間違っている
- 装着した手袋を捨てるタイミングを逃したのか、ポケットに入れたまま
- 黙食を指示しているにもかかわらず、会話をしながら昼食をとっている

まず、手指衛生のタイミングは、以下のタイミングで行うのが望ましいとされています。

1. 患者に直接接触する前
2. 清潔・無菌操作の前
3. 体液に暴露された可能性のある場合
4. 患者に触れた後
5. 患者周辺の物品に触れた後

（WHO：My 5 Moments for hand hygiene をもとに作成）

　先輩の背中を追って行動することが多いかと思います。先輩が手洗いをしているのであれば、躊躇なくみなさんも実施してください。また、前述の1～5に該当する場合は率先して手洗いを行ってください。
　透析室などでは、バイタルサインの測定において指導者から「患者さんの血圧を測ってください」と、指示が出たときは迷わず手洗いをしてから測定してください（図 2-1、図 2-2）。

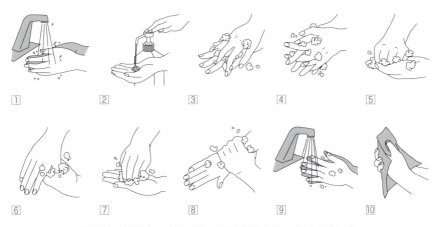

図 2-1　石けんまたは手洗い用消毒薬を用いた手の洗い方

① 流水で洗浄する部分を濡らす、② 薬用石けんまたは手洗い用消毒薬などを手のひらにとって、手のひらを洗う、③ 手のひらで手の甲を包むように洗う（反対も同様に）、④ 指の間も洗う、⑤ 指までよく洗う、⑦ 親指の周囲もよく洗う、⑧ 指先、爪もよく洗う、⑨ 手首も洗う、⑩ 流水で洗い流す、⑪ ペーパータオルなどでよく拭く。

[日本環境感染学会教育ツール Ver.3：ヨシダ製薬：Y's Square、病院感染、院内感染対策学術情報を参考に作成]

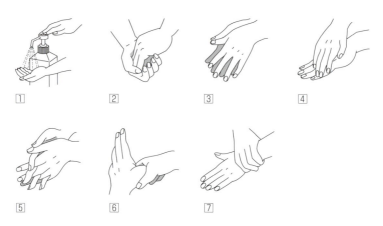

図 2-2　速乾性手指消毒薬の使い方

① 消毒薬適量（約 3 mL：ポンプ 1 回）を手のひらにとる、② 初めに両手の指先に消毒薬をすりこむ、③ 手のひらによくすりこむ、④ 手の甲にもすりこむ、⑤ 指の間にすりこむ、⑦ 親指にもすりこむ、⑧ 手首も忘れずにすりこむ。乾燥するまでよくすりこむ。
［日本環境感染学会教育ツール Ver.3：ヨシダ製薬：Y's Square、病院感染、院内感染対策学術情報を参考に作成］

　また、みなさんは見学を中心にされるかと思いますが、穿刺業務においても先輩方は、1患者に対し1処置1消毒1手袋（手袋交換）を守って感染防御を図っています。ひょんなことから医療者の腕に患者さんの血液が飛び、皮膚と接触した場合も早急に手洗いに行くことを間違いなく実施されています。

　患者さんに触れていなかったからといって安心できるわけでもなく、患者さんの周辺機器、たとえば輸液ポンプなどの操作を実施した際も、手指の衛生を保つようにしてください。

　みなさんにとっては耳の痛い話になりますが、実際に実習指導者や患者さんと接する中で、どのようなことをしてしまうと、注意を受けるようなことになるでしょうか。情報がないと少し不安になりますね。以下に実際にあった事例をいくつか示します。

(1) 1回シューズを忘れたために、実習が中止になった

　たった1回の忘れ物で?!　と、驚かれるかもしれませんが、みなさん

にとってはたった1回の忘れ物かもしれませんが、実習指導者が中止を指示したのには、それ以前からの学生の態度や様子を見て判断したことなのです。それまでに、実習に対する積極性、主体性などが見られず、長い時間の手術では態度が悪く、だるい感じが前面に出てしまいました。また、記録物についても丁寧さが欠け、テキストの丸写し状態でした。

実習指導者は、実習生とはわずかな実習期間中での付き合いですから、目につくことがあっても、多少のことは許してくれるでしょう。しかし、「何も言われない」＝「私は問題なく実習をクリアしている」ということではありません。嫌なことは指摘しなかったり言わなかったりしてしまいがちです。これは人付き合いの中でよくあることです。言われないことを逆手に、自分は問題なく実習ができているという誤った解釈はやめましょう。どのようなときもみなさんは学生です。教えていただいている立場をよく理解しましょう。

(2) 気分が悪くなってしまい、何度か休憩をさせていただいた

手術中やカテーテル治療中に気分が悪くなり、その後休憩室で横になるなどスタッフに迷惑をかけてしまう場面が毎年散見されます。

緊張が高まり気分が悪くなるのは仕方がないかと思いますが、二次的な事故を引き起こしたり、インシデントやアクシデントの発生も考えられます。気分が優れないと感じた際は、すみやかに指導者に相談しましょう。

さらには、日頃からの体力づくりを推奨します。食事や運動面での改善、貧血がある場合は必要に応じて鉄剤などの服用（医師の処方が必要なケースもある）により発症を防ぐこともできます。女性であれば、生理周期の兼ね合いから自分のからだがどうなるか、よく知っているはずです。可能な範囲で、実習指導者に体調の件も事前に伝えておくと安心です。

(3) 指導者の了承もなく目の前にある物品を手に取り触った

　みなさんが自宅や部屋に友だちを呼び入れたときに、自分の許可もなく物色されるのをどう思いますか？　気持ちの良いことではありませんね。これが医療の中の資材であればそんな単純にはすまないのです。

　いつでも、どこでも、誰でもとっさのときにはすぐに持ち出し、使えるように配置の工夫や清潔管理がされています。何もわからない学生が指導者の許可なしに、勝手に触るとどうなるか考えてみてください。いつもある場所に必要な物がないとなれば、それを探す時間が必要です。ひょっとすればそれを必要とする患者さんの治療にも影響を与えるかもしれません。興味本位で手に取った物が患者さんの命にも影響することがあるということを忘れないでください。

13 ハラスメント

　実習が始まって5日目、帰校日でもないのに学生が直接教員に相談をしてきました。実習先の中堅の指導者に「記録の内容がうっす！（薄い）」「お前は何も知らんからなぁ」と、悪気なくその言葉を浴びせられたようです。学生は、どのような記録を記載すれば指導者に受け入れてもらえるか、真剣に求めてきました。

　様子を不思議に思い調べてみると、当該技士は周囲から尊敬され、認められてはいるものの、どうも一部の部下や新人にはかなり厳しく、求める知識をもっていなければ人目をはばからず「あほ」「ばか」「お前」呼ばわりするなど暴言を吐き、おでこを小突くなど手を出すことがあるということがわかりました。学生は実習中にその様子を見ているわけです。

　その技士にとっては部下を育てる・実習生を育てる使命感があってのふるまいだったのかもしれませんが、明らかに職位が下の人、ましてや実習生は反発できない立場にあります。これをハラスメントと取るか否かはそれを受けた人にもよりますが、もしこれをハラスメントととらえるのであれば、受けた側はどれだけ悔しい思いをしたかと考えると、やり場のない怒りと、なんとかしないと、という使命感が込上げてきます。

　この話を本書で取り上げるか大変迷いましたが、本書の読者は学生だけではなく、臨床実習指導者も手に取ることからあえて記すことにしました。臨床実習は、養成校と病院施設、そして学修する学生により成立します。養成校は学生が安心して学修ができるように実習施設にお願いし、実習施設はそれを理解し受け入れ、連携と協働がその基盤となるものです。このような背景から、ハラスメントを受けながら実習をするということはありえません。学生のみなさんは、もし、不当な扱いを受けたと感じることがあれば、がまんせずに養成校の教員に相談をしてください。

しかし、気をつけてほしいのは、ハラスメントを理由に学修を疎かにすること、横柄な実習態度を取るなどといったことです。これは許されないことです。みなさんは学生であり、学ばせていただいている立場であることに変わりはありません。謙虚に、一生懸命に、学修を進めていけば何ら問題はないのです。

　もう一つ注意をしたいのは、患者さんや指導者に自分自身の連絡先を教えることがあってはなりません。たとえば実習指導者に、「変わった症例が入ったときに連絡をしたいので」と、言われたらみなさんは断りきれないですね。そのときは、養成校を介して連絡をしてもらうようにしましょう。また、患者さんに連絡先を聞かれても、どうしても断れないようであれば、養成校の連絡先（住所）をお伝えするまでにとどめればよいでしょう。

　困ったことはいつでも実習指導者や担当教員に相談をすることを心掛けてください。

＊第4章 4 項「実習のつらい気持ち、ストレスをわかってもらう」も参考にしてください。

> **演習問題**

以下の問題に答えなさい。

1. 実習指導者はどんな職種の人ですか？

   [　　　　　　　　　　　　　　　　　　　　　　　　　　　]

以下の語群から適当なものを選び、文章を完成させなさい。

| 相手の名前　連絡　飾らず　探さない　時間　指示　タメ口 |
| タイミング　どこの病棟か　壁の華　見栄　知ったかぶり　命 |
| 相談　対応を事前に確認する　報告 |

2. 実習指導者への質問は（a. 　　　　　　　）を確認する。
3. 実習中は（b. 　　　　　　）にならない。
4. （c. 　　　　　　）を張らず、自分を（d. 　　　　　　）、（e. 　　　　　　）をしないで正直でいることが大切。
5. 病院では（f. 　　　　　　）を守ることが人の（g. 　　　　　　）につながることがある。
6. たった一度の（h. 　　　　　　）で実習が台無しになります。
7. "ほうれんそう"とは（i. 　　　　　　）・（j. 　　　　　　）・（k. 　　　　　　）のことである。
8. 実習中は必ず実習指導者の（l. 　　　　　　）に従うこと。
9. 実習中、部屋に1人でいることになった場合に、電話がかかってきたときの（m. 　　　　　　）。
10. 伝言を受けるときは（n. 　　　　　　）や（o. 　　　　　　）を聞いておく。
11. 実習指導者の姿が消えても、勝手に（p. 　　　　　　）。

> 答え：1. 臨床工学技士、医師、看護師、薬剤師、臨床検査技師、診療放射線技師、理学療法士、事務職員、清掃担当者など。
>
> a．タイミング、b．壁の華、c．見栄、d．飾らず、e．知ったかぶり、f．時間、g．命、h．タメ口、i．報告、j．連絡、k．相談、l．指示、m．対応を事前に確認する、n．相手の名前、o．どこの病棟か、p．探さない。

●●● Column ● 2　現場で働く臨床工学技士から

いのちのエンジニアを目指し　臨床実習を有意義なものに：

　近年、診療技術の進歩、医療機器の高度化・複雑化、チーム医療の推進などにより、臨床工学技士に求められる業務内容は大きく変化してきています。また、医療の中で求められることも大きく変わり、医療機器の管理はもとより、医療機器を通して、患者さんに最善の治療を提供できる「臨床工学技士」が求められています。

　臨床実習は、病院で実際に診療を受けている患者さんを対象として実施する実習で、学校における学内実習とは異なります。医療機器の取扱いなど臨床工学の基礎となる知識・技術に加え、チーム医療の一員として、接遇や感染対策を含む基礎的な知識・技術などを習得しておくことが必要です。また、臨床実習では、講義で習得した知識が医療現場ではどのように活用されているのかを修得するために、とくに次の三つのことが大切となります。

① 臨床工学技士は医療機器の操作を担っており、これらが臨床現場でどのように診療に使用されているかを習得すること

② 治療中の患者さんにおいて、治療内容を理解し、副作用が発生した場合に医療スタッフがどのように対応しているかを理解すること

③ 臨床工学技士が、患者さんの安全や、医療スタッフが安全に治療を行えるように医療機器を管理すること、感染管理することが重要であり、これらを習得すること

　このように、臨床工学技士の業務は多岐にわたっており、各自が興味あることだけでなく、多くの業務に興味をもって実習に臨めば、また新たにやりたい業務につながると思います。臨床実習を通して、「いのち」の大切さとは何かを考え、患者さんにとって最良の医療が行われている現場を実感してきてください。

　臨床実習は、国家試験合格後に各医療施設などで勤務するための貴重な経験です。1人ひとり目的をもって、有意義な時間にしてください。

公益社団法人　日本臨床工学技士会

理事長　本　間　　　崇

（医療法人社団　善仁会グループ　安全管理本部）

Chapter 3

患者さんとの関わり

1　患者さんが受診にくるということ

　今、みなさんは元気で学校に通い、勉強したり、友人と遊んだり、アルバイトなどにも励んでいることでしょう。健康であり、自分のしたいこと、役割が達成できることは本当にすばらしいことです。しかし、万一あなた自身が、または自分の両親が同じように病気やけがをしたとき、あなたは今までどおりの学校生活を送ることができるでしょうか。
　看護学生のほとんどは「看護学概論」という科目を初年時に学びます。そのなかには、"看護の対象"という項目があります。看護の対象とは誰であり、そして看護の役割とは何かを考えていきます。
　たとえば、生計を支えるあなたのお父さんが、何らかの病気で、ある朝突然に入院を余儀なくされたということをイメージします。

> 　あなたの家族はお父さん以外にお母さんがいて、弟がいる4人暮らしです。そしてお父さんには、自宅から少し離れたところに介護を要するお父さん（あなたにとってはお爺さん）が住んでいます。あなたのお父さんは週1回、お爺さんの身のまわりの世話もしています。

　このお父さんに対する看護とは何なのか（何をしてあげたらよいのか）を考えていくのが「看護の対象」を学ぶこととなります。
　臨床工学を学ぶ学生の多くは、病気を治療することを優先に考えるかと思います。当然のことです。しかし、これはあくまでも治療をする側の視点の考え方なのです。患者さんの立場から考えると、いま治療をすることが本当に最優先にしてほしいことなのか、本当に解決してもらいたいことなのかどうかはわからないのです。
　例にあげたお父さんは、ひょっとしたら明日、会社で大きな会議や商談を控えており、病気どころではない状況にあるかもしれません。ま

た、お爺さんのところに食事をつくりに行く予定だったり、あなたの弟の受験のために朝から車で試験会場に送る予定だったかもしれません。

　この事例を通してあなたにどんな気持ちがよぎりましたか？　生命の危機を案じるお母さんや弟の悲しみ、不安な顔が見えたでしょうか？　お母さんの不安とは何なのでしょうか？　明日の受験に支障が生じる弟の気持ちを察することができたでしょうか？　大事な商談を控えたお父さんの悔しさと対処について考え、寄り添うことができたでしょうか？　お爺さんははたして無事に食事をすることができるのでしょうか？

　このように、人はそれぞれ家庭や社会、地域などで多くの役割を担い生活しています。また、人には多くの他者が関わり、つながりをもっているものです。

　私たち医療従事者は、患者さんは多くの役割を抱えながらも、医師から重大宣告をされるかもしれないという不安、役割の喪失の可能性を思いながら、普段なかなか行かない病院に、一大決心をして受診されるということをよく理解しなければなりません。それは、治療のために医師の指示のもとで生命維持管理装置を操作し、保守・点検をする資格をもった者としての当たり前の役割なのです。病気や治療の視点だけではなく、1人の人間として心理的、社会的状況も理解し、患者さんに接してほしいと思います。

　精神的、社会的なことを支える、当たり前にできて、当たり前にできないことが自然にできる臨床工学技士って、素敵ではないですか。"治療を受ける対象者を知る"ということは奥深いのです。

2　透析療法を受ける患者さんの特徴

　みなさんがいままで学習した「血液浄化装置学」では、おもに機器の取り扱いや周辺資材、バスキュラーアクセスや特殊透析などについて学んできました。教科書や参考書には「透析を受ける患者さん」については多くを触れるものはありません。ここでは、**透析を受ける前の保存期から導入期の患者**さんと、**維持透析期の患者**さんの特徴について少し触れてみたいと思います。

(1) 透析を受ける前の保存期から導入期の患者さん

　この時期の患者さんは医師や看護師、家族の協力のもと透析導入を避けたり、遅らせたりする方向で、食生活をはじめとしたさまざまな制限を強いられています。現在は、早期導入が患者さんのQOL（生活の質）を向上させるという意見もありますが、それではみなさんが透析を"宣告"された場合、どう考えるでしょうか？

　本章 1 項で、人にはそれぞれ家庭での役割、社会での役割、地域での役割など多くの役割を担い生きているということを話しました。それを考えると、患者さんにすればこれまでの生活が一変します。先ほどの4人暮らしの家族の例 (p.48) で考えてみましょう。

　一家の大黒柱であるお父さんが「透析」をするためにしばらく入院し、その後、維持透析を週3回、1日3.5〜4時間実施しなければならなくなったと考えてみましょう。お父さんの気持ちはどうでしょうか？　仕事は充実し、一家の生計を担い、家庭や会社での役割も果たしてきたことでしょう。しかし、週3回の通院を余儀なくされ、いつもどおりに仕事ができ、家庭での役割を十分に果たせるでしょうか？　自身のお父さん（お爺さん）のお世話もこの先誰がするのでしょうか？　お母さんや子どもであるあなたの生活にも影響が出ることでしょう。この先、お父

さんのからだのことや生活についても心配です。あなたはこのまま安定して学生生活を送ることができるのでしょうか？ 学生生活も忙しく、さらに臨床実習、模擬試験などが控えているにもかかわらず、お爺さんの世話を孫であるあなたがすることも考えられます。

このように、患者さんのめまぐるしい生活の変化に対して理解し、通院治療することになっても、いままでできていたことを継続して行えるようにサポートするのが医療従事者としての私たちの役割です。**患者さんの身体機能の変化以外に、心理的、社会的な変化に対してしっかりと耳を傾け、話を聞くことが何よりも大切です。**

● 透析を宣告された人の気持ち

米国の精神科医 E. キューブラー・ロスは、がん患者が病気を受け入れるまでの心理過程を5段階に分けて述べており[1]、透析導入を宣告された患者さんの心の変化もこれに例えられるといわれています（表3-1）。また、春木[2]は透析患者の大部分の心理的プロセスとして「悲観のプロセス」を経て透析を受容していくと述べています（図3-1）。

表 3-1 疾病の受容過程

1 段階 (否認と孤独)	病気を知り、「そんなはずがない」という強い否定の感情が湧く
2 段階 (怒り)	否定の感情が維持できなくなり、怒り、妬み、恨みの感情が表面化し、何事に対しても不平・不満を抱く
3 段階 (交渉)	神や治療者に対し、延命のための取引・交渉を行う
4 段階 (抑うつ)	もはや自分の病気について否定することができず、身体的症状も悪化するため「全てを失った」という喪失感から抑うつになる
5 段階 (受容)	患者は疲れ、衰弱し、傾眠がちとなり、それまでの感情が衰退して自分の運命を受け入れ、見つめることができる

[E. キューブラー・ロス 著、鈴木 晶 訳:"死ぬ瞬間―死とその過程について 完全新訳改訂版"、読売新聞社 (1998) をもとに作成]

図 3-1　悲観のプロセス

［春木繁一："サイコネフロロジーの臨床"、p.60、メディカ出版（2010）をもとに作成］

　患者さんの心の変化を見極め、そのときどきの段階に応じて援助を考えていく必要があります。たとえば、怒りの段階や抑うつの段階で、励ましや一方的な指導・助言などは患者さんの心理的安定をさらに損なう可能性もあります。少しずつ受容の様子がみられれば、そのときに家族の協力も得ながら治療に対する助言や指導を実施するほうが理解を得られやすくなります。

　これまで心理的側面について話をしてきましたが、これ以外に透析による影響があります。たとえば、ライフスタイルの変更、ボディイメージや食生活の変化、経済的な問題、結婚生活への影響などがあります。これらの生活面への影響についても臨床工学技士は耳を傾け患者さんの相談にのり、関連の専門職と連携しながら問題を解決していきます。

(2) 透析維持期の患者さん

　この維持期という定義について山﨑[3]は、一般的には以下の要件が満たされた場合に用いられることが多いと述べています。❶ 全身的に身体状況が安定した時期、❷ 不均衡症候群など透析による副作用が減少

または消失した状態、❸ 体重増加率が安定し、目標体重（ドライウェイト）が設定された時期、❹ シャントが確実に機能している時期、❺ 精神・心理的に安定した時期、❻ 通院透析へ移行する時期。この条件を満足するのは、多くの場合、導入 1 ～ 3 カ月と考えられています。ここでは、透析導入後約 3 カ月～ 10 年くらいの患者さんについて話をしていきます。

　維持期の透析患者さんにおいては、安定した透析治療が受けられ、身体面でも社会面でも病者でありながらも新たな自分として生活を立て直すことになります。飲食を中心とした生活習慣の改善や職業の変更・退職、社会的役割の変更など、治療を中心とした生活を余儀なくされることもあります。そのような状況で、ようやくふさわしいと思える透析生活、ライフスタイルを見出し、社会に溶け込むようになります。みなさんはこのような患者さんの努力や苦労が理解できるでしょうか？

　10 年近く透析を行っている患者さんは、自分のからだをとてもよく知っています。たまたま実習先で出会った患者さんの検査データを見る機会があり、そのデータが悪かった場合、ついどうしたのか理由を聞いて、知っていることを良かれと思って口走ることがありますが、患者さんは、透析人生 10 年です。実習生であるみなさんはたった 3 ～ 4 年の養成校での教育課程の中のほんの一部しか透析を知りません。それも技術を中心とした知識だけです。はたして、経験の浅い若い学生の話に患者さんは耳を傾けてくれるでしょうか？　みなさんは、患者さんに信頼されるほど長くその方と人生を一緒に歩んでいるでしょうか？　透析室で勤務するスタッフもはじめは**患者さんとの信頼関係を構築するまでに時間がかかります**。どうすれば信頼されるのか、認めていただけるのか一番知りたいところですね。一つ確実に言えることは、"**患者さんのことを知る**"ことだと思います。**からだのこと、精神的なこと、社会的なことを理解する**ことです。また、患者さんの欲求に耳を傾け、欲求を満たせない部分を補うことができれば患者さんとの距離も縮まると思います。そのためには、患者さんとよく話し、患者さんから学ぶという姿勢が大切です。

3　循環器疾患をもつ患者さんの特徴

(1) カテーテル検査・治療の実習

　循環器系に異常のある患者さんは、さまざまな自覚症状で来院されることが多いです。また、ある日突然症状に見舞われ、急遽手術や入院を余儀なくされる場合もあります。患者さんにとっては、目まぐるしく変わる環境の変化についていくことが大変で、疾患以外にも心のストレスを抱きやすい状況です。さらに、生命の危機を感じ、恐怖感を抱くこともあるでしょう。患者さんがどういった背景で入院・治療をされているのかを理解し、患者さんや家族の気持ちに寄り添う姿勢は学生にとっても重要なことです。また、心理的な部分を大切にする以上に優先度の高いことがあります。それは"命を守ること"です。心臓・血管系は、血液を全身にくまなく運搬する大切な臓器です。その機能を十分に果たせない場合は、即座に全身へ影響を及ぼし生命維持を危ぶむこととなります。緊急性の高い症状として、胸痛、呼吸困難、激しい背部痛、動悸、失神発作などは注意が必要です。場合によっては患者さん本人から症状を聞くことができない場合もあります。そんなときは、家族や付添人より話を聞くことがあります。

　心筋梗塞や狭心症（冠動脈疾患）ではカテーテル検査・治療を必要とすることが多く、特殊な治療環境になるので、患者さんにとってもストレスがかかる状況です。学生が経験する実習内容には、カテーテル検査・治療に向けての消耗品の準備や薬剤の準備、いざというときの備え（救急カート、除細動器、補助循環装置の準備など）、心電図やバイタルサインを読み解いたり記録するなどを、実習指導者とともに行うことになるでしょう。しかし、それ以上に経験してほしいことは、患者さんの恐怖心や緊張感にどれだけ寄り添い、医療者としての役割を学生なりに実践できるかです。患者さんの入室時から声をかけ、時には手を握り、

痛みや不快な症状を確認したり、患者さんからの質問に答えたり。学生の知識のみでは答えられないこともあるでしょう。そのときは、実習指導者やまわりのスタッフに確認することも必要となります。

(2) CCUの特徴

みなさんがお世話になる実習施設には、心臓血管疾患集中治療室（coronary care unit：CCU）がある施設とない施設があります。あれば実習期間中に入室できるか実習指導者に確認し、可能であればその環境を一度自分の目で確認するとよいでしょう。

CCUは、急性心筋梗塞の発症直後の不整脈（心室細動）による死亡率を減らすために、心電図モニター監視を中心に集中管理を行うことを目的に設置されるものです。ここでは、❶地域の医療施設や救急隊と連携して、心筋梗塞を発症後できるだけ早期に収容して確実な治療を行うこと、❷不安定狭心症など危険な狭心症患者を収容して心筋梗塞を未然に防ぐこと、❸院内または院外からの重症心疾患例に対し、救命的治療を行うことを目的としています[4]。施設によっては、これらの患者さんは集中治療室（intensive care unit：ICU）に収容されている場合もあります。収容された患者さんの特徴を理解し（図3-2）、実際にどのような処置が行われているか、臨床工学技士としての役割を確認してほしいと思います。

医療チームの一員として、臨床工学技士はどのような業務に携わり、どのような役割を果たしているのか、患者さんや家族への対応はどうしているかを確認するとよいでしょう。

---

1) 急性期は病態が不安定で生命の危機状態に陥る危険性がある。
2) 生命の危機感から不安と緊張が強い。
3) 呼吸困難や胸痛、安静による苦痛が強い。
4) 安静を強要されることにより、食事や排泄など基本的欲求が阻害される。
5) 突然の入院や面会制限により、社会生活に支障が出る。

図3-2　CCUに入院する患者さんの特徴
[国立循環器病センター看護部 編："CCU看護マニュアル"、p.6、メディカ出版（1993）]

演習問題

CCU における救命的処置の実際

2021 年の臨床工学技士法改正により、新たに認められた業務は何か、該当するものに○を、該当しないものには×で答えよ。

1. 静脈路の確保〔　　〕
   手術室または集中治療室で生命維持管理装置を使用して行う治療において、当該装置や輸液ポンプ、シリンジポンプに接続するために静脈路を確保し、それらに接続する行為

2. 薬液投与〔　　〕
   手術室または集中治療室で生命維持管理装置を使用して行う治療において、輸液ポンプやシリンジポンプを用いて薬剤（手術室などで使用する薬剤に限る）を投与する行為

3. 抜針・止血行為〔　　〕
   手術室または集中治療室で生命維持管理装を使用して行う治療において、当該装置や輸液ポンプ、シリンジポンプに接続された静脈路を抜針および止血する

4. 動脈表在化穿刺〔　　〕
   血液浄化装置の穿刺針その他の先端部の動脈表在化および静脈への接続、または動脈表在化および静脈からの除去

5. 心・血管カテ電気的負荷〔　　〕
   心・血管カテーテル治療において、生命維持管理装置を使用して行う治療に関連する業務として、身体に電気的負荷を与えるために、当該負荷装置を操作する行為

6. 気管内挿管〔　　〕
   気道確保や人工呼吸器の管理を目的とした気管内挿管について医師の指示のもと気道内に挿管チューブを挿入する行為

7. カメラ保持・操作〔　　〕
   手術室で行う鏡視下手術において、体内に挿入されている内視鏡用ビデオカメラを保持する行為、術野視野を確保するために内視鏡用ビデオカメラを操作する行為

8. 縫　合〔　　〕
   ペースメーカ植え込み術において、皮下にペースメーカ本体を収めるために医師の指示の下、皮膚の縫合を行う行為

答え：1. ○　2. ○　3. ○　4. ○　5. ○　6. ×　7. ○　8. ×

4　集中治療室で療養する患者さんの特徴

(1) ICUの特徴
　集中治療とは、"生命の危機にある重症患者さんを、24時間の濃密な観察のもとに、先進医療技術を駆使して集中的に治療するもの"であり、集中治療室（intensive care unit：ICU）とは、"集中治療のために濃密な診療体制とモニタリング用機器、ならびに生命維持装置などの高度な診療機器を整備した診療単位"と定義されています[5]。そこには、循環不全、呼吸不全、意識障害、腎障害、凝固障害などの臓器不全により、生死の境をさまよう患者さんに対する生命維持のための治療がなされます。その原動力として、各種の薬剤・機器を含めたICUというハードウェアと、専門トレーニングを受けた医師やコメディカルがその診療に深く関与するソフトウェアがあります[6]。

　ICUに収容される重症患者さんには、大手術をはじめ、多発外傷、広範囲熱傷、心筋梗塞、重症膵炎など激痛を伴う疾患が多く、ほとんどが人工呼吸器の適応となります。気管チューブの刺激、気管内吸引操作とそれに伴う咳嗽反射、体位変換時などつねに苦痛を伴います。意思伝達もできない患者さんのストレスは計り知れず、ストレス性潰瘍やICU症候群とよばれる精神症状をひき起こすこともあります。

(2) ICUに収容される患者さんのニーズ
　さて、もう一度みなさんにイメージをしてほしいのです。

　ある日の夜間に突然、あなたはお手洗いで意識を失い、倒れてしまいました。家族に発見され、救急病院のICUへ搬送されました。その間、さまざまな処置を受けるためいままで着ていた服を脱がされ、自力で呼吸ができないので挿管チューブを否応なしに挿入され、

> おしっこの管（尿道カテーテル）も自分の意思に構わず挿入されました。胸にはモニターの電極を貼られ、腕には注射針を刺され、太ももの付け根には補助循環のための大きな管をつながれた状況です。意識があれば本当は恥ずかしくて、自身の裸など他人に見られたくないでしょう。いろいろと話しをして自分の苦しさをわかってもらいたい。しかし、口には挿管チューブが入って意思表示ができません。まわりはプライバシーも確保されないカーテン1枚の仕切りで、つねに誰かが監視をしており、灯りがついていて今が夜なのか、朝なのか、今日が何月何日かもよくわかりません。
>
> 　家族にはぜひ面会にきてほしい。でも、今は安静が必要で、感染防止の目的もあり家族と会うことはできません。もちろん、友人とも会うことができません。
>
> 　お腹が減ったなぁ、口からご飯が食べたいな。おしっこも行かないといけないはずなのに感覚がない。便もトイレに行ってしたいけれども、人の力を借りないと始末もできない。

　このような患者さんを学生のみなさんは目の当たりにします。はたして、患者さんがICUに収容されたときに、"意識がないからこれらの処置を受け、このような環境下で監視されることは仕方がないこと"だというのは本当でしょうか？

　生命を維持するためにこれらの処置や治療を受けることは当然のことです。しかし、みなさんにわかってほしいことは、"処置や治療を受けながらも人間らしい、その人らしい生活を送られるようにする"ことはできないのでしょうか、ということなのです。自分の身内（父や母）が同じように入院した場合、このような状況におかれたときに、あなたはどうしてほしいと思っているかを深く考え、良かれと思うことを全力で献身的に実施することかと思います。今、運び込まれ収容された患者さんを大切な家族と思って考えてみると、もっと多くの"してあげたい"ことがあなたの頭の中で思考されないでしょうか。

(3) ヴァージニア・ヘンダーソンの考え方は役に立つ

ヴァージニア・ヘンダーソン（1897〜1996）という看護の理論家がいます。ヘンダーソンの考え方は、患者さんを看るうえで、非常に大切な考え方で、現在の看護にも大きな影響を与えています。

14 の基本的ニード（欲求）[7]とは、ヘンダーソンの考え方の中でも中心的なものです。人間のもつ基本的ニードを患者さんは自分自身で満たすことができません。看護師はそのニードを満たせるように支援をしていくという考え方です（図 3-3）。

たとえば、"正常に呼吸する"というニードについて考えてみたいと思います。さきほどの ICU に収容されている患者さんのニードについて、自分自身がお手洗いで倒れたことをイメージしましたね。あなたは自力

正常に呼吸をする	適切に飲食をする	身体の老廃物を排泄する
移動する・好ましい肢位を保持する	睡眠・休息をとる	適当な衣服を選び、着脱する
衣類の調節・環境の調節により、体温を正常範囲に保持する	からだを清潔に保ち、身だしなみを整え、皮膚を保護する	環境の危険因子を避け、他者を傷害しない
他者とのコミュニケーションを保ち、情動、ニード、恐怖、意見などを表出する	自分の信仰に従って礼拝する	達成感のある仕事をする
遊びやレクリエーションに参加する	正常な発達および健康を導くような学習や発見をし、あるいは好奇心を満足させる	

図 3-3　ヘンダーソンの 14 の基本的ニード（欲求）
［ヴァージニア・ヘンダーソン 著、湯槇ます・小玉香津子 訳："看護の基本となるもの"、日本看護協会出版会（2016）］

で呼吸をすることができたでしょうか。本来は、自分で大きく胸郭を動かし肺を広げ自然に空気の流入があるはずなのに、強制的に換気をされています。また、"移動する・好ましい肢位を保持する"というニードははたして満たされているのでしょうか。これらのことは普段元気であれば誰の手も借りずに、1人で自然にできて当然のことです。でも、意思表示のできないあなたは、この欲求を満たせず医療者に伝えることができません。

　患者さんの欲求や思いに寄り添い、何が必要かを考えるトレーニングは私たち医療者にとってとても大切なことです。

　"これって、看護師の仕事では？"と、思う学生さんがいるかもしれませんね。もう一度みなさんに問いたいと思います。目の前に運び込まれた患者さんがあなたのお父さんやお母さんであれば、そんなことを言ったり考えたりしているでしょうか？　お父さんやお母さんの抱く気持ちをわかろうとするのではないでしょうか。

　みなさんには、実習でぜひ確認してほしいこととして、このICUという独特の環境をしっかりと見てきてほしいと思います。これらの欲求を満たせない方がどのような治療や処置を受け、回復される（もしくは死を迎える）のか。医療チームはその方のためにどのような役割を果たしているのか、自分の目で確認してきてください。

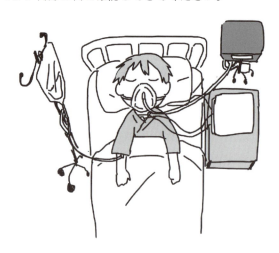

5　手術を受ける患者さんの特徴

(1) 周術期とは

　手術を受ける患者さんは、麻酔下で身体に侵襲を受け生命維持が困難な状況にさらされ、意識が戻り、やがて身体機能が回復し、創が治癒し、日常生活へ戻れるという過程をたどります[8]。学生は、短時間の中で被侵襲後の心身の状態が刻々と変化していく様子を目の当たりにするので、その展開の速さについていくのが難しいこともあります。

　周術期という言葉があります。これは入院 → 麻酔 → 手術 → 回復といった、患者さんの手術中だけではなく、手術前後を含めた一連の期間を表します。周術期ではその期間ときどきに必要な治療や処置、ケアが変わるということを理解する必要があります。

　これから、手術前・中・後と分けて患者さんの特徴について話をしていきます。実習施設の考え方にもよりますが、臨床工学技士は、これら周術期のそれぞれのタイミングで患者さんに介入したり、もしくは手術中や手術後のみに介入している施設もあります。みなさんがお世話になる実習施設はいかがでしょうか。

(2) 手術前の患者さんの特徴

　手術を目的に計画的に入院された患者さんは、おそらく外来受診時に担当の医師より手術の必要性やそのリスク、退院までの流れなどもある程度受容し入院されたことかと思います。しかし、なかには救急で搬送され突然手術を必要とする事態になり、その現状を受け入れることが困難なケースもあります。臨床工学技士は救急に携わることが多く、これらのケースは決して珍しいわけではありません。患者さんが手術の必要性を理解し、受容していただかなければ手術を安全に実施することはできません。そこで、患者さんの意思決定を促す方法としてインフォーム

ドコンセントの支援が必要となります。すなわち患者さんが治療や手術を選択するために必要な情報[9]を提供するということになります（図3-4）。これらの情報は医師や看護師からなされることが多いですが、臨床工学技士も患者さんや家族がこれらの理解がしっかりとなされているのかを確認する必要があります。

　患者さんの不安をやわらげるために、手術前オリエンテーションというものがあります。手術の前日までに医師や看護師は患者さんの病室を訪問します。手術に対する情報提供や教育的な意味もありますが、なによりも患者さんとコミュニケーションをとることにより信頼関係を築くことができます。なかには、人工心肺装置の操作を安全に実施する目的で、カルテなどの情報以外に実際に患者さんを訪室し、不安や緊張を和らげ手術に対する理解を得る施設もあります。これらのオリエンテーションを通じて患者さんが精神的にも落ちつき、合併症を予防する行動が取れるように援助することも術前には大切なことです。

病名、現在の病状	どのような手術が必要か	手術の危険性、手術によってどこまで治癒するのか
手術に伴う合併症	手術の安全かつ合併症を少なくするために、手術前に行えることはあるか	手術を選択しない方法もあるか。手術をしない場合に、どのような害があるか。どのような利点があるか
	手術をした場合と、しない場合の予後に変化があるか。双方の予後はどうか	

図 3-4　治療法決定のための情報

[中島恵美子、山崎智子、竹内佐智恵 編："ナーシンググラフィカ 成人看護学4　周術期看護 第3版"、p.60、メディカ出版（2018）をもとに作成]

(3) 手術中の患者さんの特徴

　術前のオリエンテーションが落ちつき、とうとう手術当日になりました。患者さんは手術室に入室するときに他人に自分の命を委ねる瞬間を迎え、不安と緊張が高まります。その人の個性や性格にもよりますが受け止め方は個人差がありますが、いずれにせよ非日常の体験をすることには変わりはありません。患者さんに何かを説明するとき、処置や治療において協力を求めるときは、患者さんが理解できる言葉を使用し、患者さんの言動や表情に注意して安心感をもたせることが大切です。その方法の一つとして"タッチング"という技法があります[10]。患者さんに対する安心感を提供する目的で行われる非言語的（言葉を介さない）コミュニケーションの一つです。患者さんの痛みや不安感を軽減する効果があり、看護師をはじめとする医療者に親しみや信頼を覚えるなどの効果も認められています。タッチングには、❶手を当てる、❷さする、❸揉む、❹圧迫する、❺たたく、などがあります。手術室のベッドに横になった患者さんは意識下でさまざまなモニター類やルート類（点滴の管など）の装着などがなされます。上を向けば無影灯、壁を見れば冷たい色使い、まわりは見知らぬ医療スタッフばかり。手術室独特な無機質な感じがわっと押し迫ってきます。そんなときに医療者や学生が患者さんの手をそっと握ってあげれば少しでも緊張感が和らぐのではないでしょうか。みなさんは家族や親友などにはこれらのことが自然とできますが、患者さんにも躊躇することなく、必要に応じてタッチングをすることができれば素敵ですね。

　さて、患者さんに麻酔がかかり、手術が開始されようとしています。患者さんは手術がやりやすいような体位をつくっていきます。手術由来の褥瘡（床ずれ）は頻発するもので、これを予防しなければ術後の状態にも影響します。また、体位によっては神経を圧迫し神経障害を生じることもあります。これらの二次的障害を残さないように医療者はさまざまな工夫をしているので確認してみてください。

　手術中に起こりやすい合併症に、❶循環器系の合併症、❷呼吸器系の合併症、❸体温異常などがあります。麻酔中は、交感神経抑制により

循環器系の合併症	呼吸器系の合併症	体温異常
・麻酔による副交感神経が優位 → 血圧や脈拍が低下 ・麻酔が浅い → 高炭酸症、低酸素血症により脈拍の上昇、不整脈の出現	・麻酔が浅い → 咽頭痙攣 ・喘息の既住 → 気管攣縮 ・分泌物の閉塞 → 無気肺 ・反射の抑制 → 誤嚥	・視床下部の体温調整機能が低下 → 体温低下 ・麻酔薬の末梢血管拡張作用による熱の再分布 → 体温低下 ・脱水、末梢血管収縮 → 中枢温上昇

図 3-5　手術中に起こりやすい合併症

　副交感神経が優位となります。このことから麻酔の影響により生じる合併症[11]が問題となります（図 3-5）。

　みなさんは、人工心肺装置などの医療機器の操作がメインの実習となりますが、その先につながれた患者さんの命を守ることは何よりも大切な使命です。患者さんの状態の変化に気がつき、異常の早期発見と早期対処に心がけていく必要があります。麻酔薬や手術侵襲により生理機能が抑制された状態を理解し、① モニタリング、② 輸液・輸血の状況の把握、③ 出血量や尿量なども実習指導者とともに確認しましょう。

（4）手術後の患者さんの特徴

　いよいよ患者さんが集中治療室に帰ってきます。意識を取り戻し現実の状況を認識し始めていきます。意識の回復、反射の回復、十分な自発呼吸、血圧・心拍など循環動態の安定を確認すれば抜管（挿管チューブの除去）を実施します。術後しばらくすると、しだいに疼痛が現れこの痛みのコントロールは呼吸抑制や血圧の変動をきたすので早い段階から鎮痛をはかることが必要となります。術後合併症には、❶ 肺合併症（無気肺、肺炎、肺水腫）、❷ 循環器合併症（不整脈、ショック、虚血性心疾患、急性心不全）、❸ 術後腸閉塞（イレウス）、❹ 術後感染、❺ 縫合不全、❻ 肺塞栓症、深部静脈血栓症、❼ 術後せん妄などがあります[12]。とくに、❻の肺塞栓症は、血栓、脂肪塊、空気、腫瘍、異物等塞栓子が肺動脈を閉塞し、肺循環障害をひき起こします。血栓性塞栓の多くは、下肢および骨盤深部静脈血栓症が原因です。術後リハビリが進みだす頃、

排便・排尿時に発症することが多いです。症状としては、突然の呼吸困難、胸痛、頻脈、不安感などがあり、ショック症状を呈することもあります。医療者は早々に回復を促すためにリハビリを急ぎますが、その裏でこのような術後合併症もあることを理解する必要があります。また、❼の術後せん妄症状を呈する患者さんを初めて見たときには少し驚いてしまうかもしれません。これは、患者さんの背景や術後の物理的環境、手術侵襲による身体の状態などが複雑に関連しあって発症する一過性の精神障害です。とくに高齢者や侵襲の大きい手術、ICUでの治療・管理を受けている、不安が強い患者さんに発症しやすいといわれています。症状として幻覚や妄想、昼夜逆転などの睡眠障害、カテーテルやラインの自己抜去、精神的興奮、発作時の記憶障害などがあります。この術後せん妄の発症を予防する手段として、術前から術後の処置・治療について具体的にイメージが抱けるよう情報提供をしっかりとしていくことや、昼夜のリズムをつくる意味でもしっかりと夜間は睡眠をとれる環境をつくることが必要となります。また、早期に集中治療室という環境から離脱することが望まれます。

6 臨床工学技士としてのコミュニケーションの必要性

　みなさんは、「臨床工学技士基本業務指針2010」[13]を見たことがありますか？　業務全般にわたる留意事項として、以下のことが記載されています。

> 　臨床工学技士は、医療チームの一員として医師その他の医療関係者と緊密に連携し、常に患者の状態を把握し、患者の状況に的確に対応した医療を提供するチーム医療の実践化を進め、より円滑で効果的かつ全人的な医療を確保することに協力するものとする。

　すでにみなさんは、養成校で「チーム医療」という言葉をさまざまな場面で聞いたり、教わったりと十分に理解されたかと思います。臨床工学技士の業務の領域は特殊ですね。医師や看護師のように何か一つの専門性に特化した領域で業務をするのではなくて、さまざまな領域に何か問題があればそれを解決に導いたり、業務の依頼があればそれをこなす必要があります。あるときは手術室、またあるときはカテーテル室、透析室、病棟など……。したがって、その領域ごとに関わる医療者とのコミュニケーションは非常に大切になります。この病棟の○○さんは苦手だから話したくない、この医師は嫌だとか言い出すと仕事になりません。また、コミュニケーションをとる対象は医療者だけとは限りません。当然、各領域で治療を受けている患者さんや家族もその対象です。
　業務指針にも記載されているとおり、私たちはチーム医療の実践化を進めるために医療関係者と緊密に連携をはかる必要があります。実習では、治療するという技術的な側面だけではなく、臨床工学技士が、一体どのように医療者や患者・家族とコミュニケーションをとっているのか、何を話し合われているのか、専門性をどのように相手に伝えている

3. 患者さんとの関わり

のかなどを確認してほしいと思います。

　もう一つ、患者さんと会話が続かない場合があります。沈黙が怖いと思うこともありますね。このような場合、次の図3-6、3-7が役に立ちます[14,15)]。

年齢からの患者理解

・人間は生まれてから亡くなるまで成長・発達を続ける存在です。身体的、精神的、社会的にもそれぞれの年代に合った発達段階や発達課題があります。当該の患者さんがどの段階にいるのか捉えておくとよいでしょう。

性別からの患者理解

・性別により役割が異なることがあります。たとえば、妊娠・出産は女性にしかできない役割です。「男らしさ」「女らしさ」という言葉があります。男性にしかわからないこと、女性にしかわからないことがありますね。このような性別による役割の違いも理解しながら患者さんと話をするとよいでしょう。

疾患からの患者理解

・実習で関わる患者さんの病状や状態を知らないと話しもできないですし、信頼も得られません。最低限人体の機能と構造や病態を理解し、患者さんにできること、できないことを見極め必要な援助を考えることは必要です。

治療方法からの患者理解

・患者さんの受けている治療や薬物の作用など確認しておくと、治療への理解が深まるだけではなく、患者さんへの説明や支援が必要なときに役に立ちます。

図3-6　患者さんを理解し会話につなげる方法

[田中美穂、蜂ケ崎令子："看護学生のための実習の前に読む本"、p.23、24、医学書院（2015）]

（あ）挨　拶　　：　最低限のコミュニケーションツール
（い）言い換え　：　「それは〇〇ということですか？」と、自分の言葉に言い換える
（う）うなずき　：　首を上下に振って相手の話を聞いている（同意）
（え）笑　顔　　：　いちばんシンプルで基本的な「承認」
（お）オウム返し：　「自分の話をちゃんと聞いてもらっている」「理解してくれている」と感じる

図3-7　信頼関係を築くあ・い・う・え・お

[鯨岡栄一郎："医療福祉の現場で使える『コミュニケーション術』実践講座"、pp.32-36、運動と医学の出版社（2012）]

7　知り得た情報は秘密です

　個人情報保護という言葉は、メディアをはじめ、さまざまなところで取り上げられ、必ず耳にします。臨床工学技士法第四十条にも「臨床工学技士は、正当な理由がなく、その業務上知り得た人の秘密を漏らしてはならない。臨床工学技士でなくなった後においても、同様とする」と明記されています。以下に失敗例を少しあげてみましょう。

(1) SNS編

　病院実習に行ってどんな患者さんと関わっているか、手術をいつするかなど悪気がなく書き込みする学生がいることを聞きます。実際にほかの医療職の実習でも安易にSNSに情報をあげて大変になったことがありました。これらの行為は、時には患者さんや家族を傷つけることにもなりかねません。私たちは、法を遵守し責任をもって医療に携わる必要があります。知識や技術はこれから先磨き上げていくもの。しかし、その前に医療者としての自覚を育むことは何よりも大切なことなのです。

(2) 電子カルテ編

　学生が実習するうえで必要な患者さんの情報を確認するために、実習指導者を介して電子カルテの閲覧を許可されました。もちろん確認できる部分とできない部分と制限がかかっています。学生は必要な情報を必死でメモ帳に転記しています。しかし、急に実習指導者から特殊な処置が入ったので見学するように声がかかりました。学生は慌ててパソコンの画面を閉じず、その場を離れてしまいました。学生は後ほど注意をされましたが、どれだけ急いでいてもパソコンをつねにオープンにして、患者さんの情報を誰でも見られる環境をつくってはいけません。

3. 患者さんとの関わり

●患者さんの診断名

　精神的な安定をはかるために患者さん本人には本当の診断名を告げない場合があります。また、そのことを医療チーム内で厳守し、家族もそのように対応することがあります。

　患者さんとの会話中、たとえば、「がん（癌）」と知らされていないのに、「今回は初期のがんで、早く見つかってよかったですね」などとぽろっと言ってしまうと、患者さんは「私はがんなのだ」と落ち込み、今後の治療に影響するかもしれません。事前に患者さんが自身の病状をどこまで把握しているのかを知ることが大事です。また、治療や病状のことがわからないのであれば、会話で触れないことが大切です（本章 9 項(1)も参照）。

（3）エレベーター編

　1日の実習を終えた学生2人が、エレベーターに乗って互いに労をねぎらいました。そこまでだったら良いのですが、今日出会った人がどんな患者さんで、どんな病気で、いつ手術で、ということまで話が広がりました。エレベーターの中には、病院関係者が私服でいらっしゃいました。

（4）公共交通機関（電車・バス）編

　上記（3）「エレベータ編」と近いのですが、学生が通学（通勤）時に利

用する電車やバスの中で、病院で知り得た情報を同じ実習先の学生と話していて、それを同じ車内にいた病院関係者に聞かれてしまいました。

(5) メモ帳編

　実習指導者にたくさんのことを教えていただき、また患者さんの情報もたくさん記入している大切なメモ帳。「これさえあればとりあえずは明日提出しないといけない記録物は完成できる！」と、家に着いて記録を始めようと思いきや、「えっ！　あるはずのメモ帳がない」確かに鞄に入れたけどない。「ひょっとして病院に置き忘れた？　ひょっとしてロッカー？　それとも病棟？　最悪、患者さんのところのテーブル？」頭が真っ白になり同じ実習先に行っている友達に電話。「私のメモ帳なんて知らないよね？」すると、「あっ、スタッフの控室の机の上に置いたままだったから、指導者さんに言われてメモ帳もって帰ってきてるから、後で取りにきて」とのこと。明日、実習に行きづらいな……。

(6) ファミレスでの記録編

　ファミレスは、ドリンクバーもあるし手頃な値段でご飯が食べられるから最高。一気に記録も片付けられる。集中してできるしありがたい。さて、記録がフィニッシュを迎え、テーブルをさっさと片付け、後は家に帰って風呂に入って寝るだけ。さて、家で明日の準備物を整理していたら、なんと、記録用紙が1枚足りない。どうしょう！　きっとファミレスに置き忘れ。もう一度お店に戻って座席の下を確認すると、私が書いた記録物が落ちていた。誰も見てなかったかしら??

(7) その他のケース

　さまざまな情報をメモ帳に転記する手間を省くために、実習指導者が電子カルテや検査結果の一覧などをプリントアウトして渡してくださるときがあります。確かにありがたいですが、それは病院内での閲覧に限り許されたことです。外への持ち出しは厳禁。終了後は実習指導者へ必ず返却すること。

8　患者さんが実習生に身を預けることとは

　臨床実習では透析をされている患者さんやカテーテル検査・治療をされる患者さん、人工呼吸器をつけている患者さんなど、多くの患者さんとの出会いがあり、多くの学びがあります。

　たとえば透析の実習で、ある患者さんの透析回路のプライミングを経験させてもらうこととなりました。患者さんはベッドに横になりその様子をじっと見つめています。いろいろと話しをしたいけれど、緊張してそれどころではありません。後ろからは実習指導者が監視しています。

　この透析の患者さんはたまたま親切な方で、あなたの緊張を解きほぐすために多くの会話をしてこられました。この患者さんはなぜ、こんなに親切で余裕があるのでしょうか。もし、逆の立場だったらどうでしょう。学生が必死で、プライミングをぎこちなくしている様子を考えると、「どこかに鉗子をかけ忘れているのではないかしら」「空気は本当に入ってない？」「本当に大丈夫？」と……とても心配になりますね。

　では、なぜ、患者さんは実習生を受け入れてくれているのでしょうか。

　答えは簡単です。あなたの**後ろに実習指導者がついている**からです。実習指導者がいるから、万一、間違いがあってもなんとかしてもらえるという、**強い信頼関係があるから**です。決して、あなたの人柄の良さ、若さ、元気良さに惹かれて命を預けてくれているわけではありません。

　それでも、あなたに経験させてくれているのは、もっと臨床工学技士がこの病院に、日本中に増えたら安心して医療を受けることができるという考えもあるだろうし、若い人材をもっと自分たちで育てていかなければならないという、患者さんならではの使命感もきっとあるはずだと筆者は考えています。

　あなたは、学生。学ばせていただいている立場です。患者さんから教えていただいているということと、感謝の気持ちを忘れてはいけません。

9　こんな場面に遭遇したら

　医師や看護師と同等に、患者さんとの接点が多い臨床工学技士が、少し判断に困る事象と遭遇したらどうしたらよいのでしょうか？　少し考えていきましょう。

(1) 患者さんから病気について質問された

　この場合、患者さんの情報を十分に得ない限り、確実に、正確なお返事を患者さんにすることは不可能です。知ったふりをして、誤った情報を提供するとインシデントやアクシデントにもつながります。この場合は、「私は学生です。〇〇さんのことをまだよく知りません。今聞かれたことについては、実習指導者を介して後ほどお返事を差し上げます」と、回答すればあなたにはそれ以上のことを確認されないでしょう（本章 7 項 (2) も参照）。

(2) 患者さんから物をもらった

　透析中にあなたと患者さんがにこやかに談笑しています。途中で患者さんが「あんたには世話になっているから」といって、金品を渡されました。当然あなたは「いや、受け取るわけにはいきません」と丁重にお断ります。しかし、患者さんは、「いいから、いいから」といって白衣の

ポケットの中に金品を入れてきました。これ以上、埒が明かないし、患者さんの声もしだいに荒くなってきました。では、この場合は一体どうすればよいのでしょうか？

　答えは、実習指導者に報告し、指導者から金品を患者さんに返してもらうということです。きっとこの患者さんは、次にあなたに会ったときに少しむっとされるかもしれません。もしくは「ごめんね」と謝ってこられるかもしれません。いずれにせよ、あなたは「実習生として勉強させていただいています。お気持ちだけで結構です。ありがとうございました」と感謝の意をしっかりと伝えることが大切です。

(3) 患者さんが急に気分が悪いと言い出した

　先ほどの患者さんが、透析中に急に手足がしびれる、気分が悪いと訴えてきました。あなたはオロオロとします。まわりをみると近くに医療者はいません。どうしよう。

　答えは簡単です。声を出して誰でもよいので人をよびます。枕元にナースコールがあればそれも押してください。意識がありますか？　しだいになくなってきましたか？　もし、ベッドを起こしていたら、平らにしてください。声をしっかりと掛けてあげてください。そして医療者がくるまでできる範囲で脈拍をとったり、血圧を測ったりしてください。呼吸も脈拍も意識もなければ、心臓マッサージを行います。今では医療の知識がない人でも行っていますので、しっかりと自信をもって行ってください。そうしている間に、あなたのまわりには多くの医療者

が集まってくるはずです。

(4) 患者さんの装着している人工呼吸器のアラームが鳴った

集中治療室の実習で、患者さんが装着している人工呼吸器のアラームが突然鳴りました。実習指導者は少し離れたところにいます。患者さんの周囲にはあなたしかいません。アラームの止め方は昨日の実習で確認したので、止める方法としては理解しているつもりです。しかも、今、人工呼吸器に一番近い場所にいます。止めてもいいかな、と思って「ポチッ」と止めてしまったあなた。本当に大丈夫でしょうか？

アラームの止め方を知っていたとしても、指導者の許可なしに止めてはいけません。みなさんもよく知っているとは思いますが、アラームが鳴ったからにはその原因を探らなければなりません。原因もわからないまま闇雲にアラームを止めてしまうと、また同じことの繰り返しか、もしくは重大な問題を抱えているにもかかわらず、原因を探ることができずに患者さんへの重大事故をひき起こす可能性があるかもしれません。したがって、自己判断で止めてはいけません。

(5) 何度も同じことを訴えてくる患者さん

少し高齢で、認知的な問題を抱える患者さんがあなたに話しかけてきます。「毎日毎日しんどいんだ」「つらいんや」とあなたを何度もよんでは同じことをお話しされ、何度も何度もよばれてしまいます。

この場合は、可能な限り患者さんの訴えを聞いてあげましょう。どこに原因があるのか、あなたなりに考えて親身に聞き役にまわることに徹すればよいかと思います。また、そこで患者さんから聴取した話は一度実習指導者にも聞いてもらうことも大切です。あなたが聞いたことが、患者さんの苦痛を解消するためのヒントとして隠れているかもしれません。

Chapter 4

教員との関わり

1　毎日実習施設に行きたいけれど行けない現状

　養成校には専門学校や大学などがあります。それぞれ修業年限が3～4年と専門的知識を培うためには、相当の長い年月を必要とします。みなさんが臨床実習に出るのは最終学年の3年生もしくは4年生になった頃が一番多いかと思います。みなさんが実習施設で実習指導とともに行動をしている頃、教員はほかの学年の講義や学内実習を実施しています。

(1) 養成校の教員は忙しい
　実習施設では養成校の教員と会うことはなかなかありません。でも、ときどき"先生きてほしいなぁ"と思うことはありませんか？
　さて、養成校の教員の業務について、みなさんはご存知でしょうか。筆者が学生の頃は、先生はたんに授業を教えたり、学生の悩みを聞いてサポートするだけだと思っていました。夏休みや春休みも学生が休みだし、先生も同じように休んでいると思っていました。もし、そうだったらどれだけ楽なのかと今にして思うのですが……。
　じつは、養成校の教員業務は学生に専門的知識を教示することだけではなく（授業を担当するにもそれ相応の準備も必要です）、研究や社会的貢献などに携わり、学科や学部の存在意義を幅広く国民にアピールしているのです。そうすることによりさらに臨床工学技士のなり手を増やすことにもつながっていくのです。したがって、授業以外の時間は研究活動をしたり、学内の委員会に参加したり、職能団体や患者会などで業務をしたり、講演をさせていただいたりと、みなさんが想像する以上にやるべきことがあるのです。また、学生の長期休暇中は教員も休暇になるのではなく、平素と変わらず業務をしています。大学に所属する学生はよくわかるかと思いますが、教員の研究室を訪ねにいっても不在だったり、大学には来ているけれど、タイミングが合わずになかなか会えな

いことが多いのは、そのような理由があるからなのです。教員の言いわけみたいになりましたが、このような時間の合間に実習をしている様子を見に行っているのが現状です。

(2) 看護学生の実習

　筆者は、看護学生の実習指導をした経験もあるので、少しその様子も紹介したいと思います。

　看護学生の実習では、毎日、教員は学生と行動をともにし、実習施設で指導しています。看護師の教育課程と臨床工学技士の教育課程には差があり、看護学生は、受け持ち患者さんを1人持ち、その人の治療から回復過程を追いながら、必要なケアを考え、提供していくことを経験する実習となります。そこで当該の患者さんに必要な処置やケアがあれば養成校の教員とともに実施することが多いので、実習期間中は絶えず養成校の先生が実習施設にいます。実習期間も6カ月間と長期になります。臨床工学技士の実習に比べると、直接的患者さんへの介入が多いことから、実習施設への教員の配置が必要となります。

　このように同じ医療職であっても実習内容は大きく異なってきます。現在、医療を必要とする患者さんの多様性を考えるといずれ臨床工学技士の実習についても、実習施設への教員の配置について明言されるときがくるのかもしれません。

2　実習施設に現れる先生は神様に見える

　実習施設に、なかなか養成校の教員が行けない現状をみなさんの優しさで受け止めていただけたかと思うのですが、そう甘いことも言っていられません。実習施設の指導者にすべてをお任せするということは養成校の教育の特徴が生きてこないですし、実習指導者にも負担がかかってしまいます。

　したがって、養成校の教員は実習施設の実習指導者と日程調整をして、この日に行けると互いに決めた日に、実習中の学生の様子を見に行っているのです。実習指導者は、うまくタイミングをみて学生と教員をひき合わせてくれます。

　みなさんにとっては、実習施設は完全なアウェーです。いつもであれば毎日見る教員の顔が、実習施設ではなかなか会えない状況です。そのようななか、突然教員が顔を出してくれたらとても心強く思うのではないでしょうか。実際に、実習で緊張して毎日大変な思いをして、それをわかってくれる教員を見たとき、学生の顔はほころび、笑顔になってくれます。遠くから教員を発見すれば、こそっと手を振ってくれる学生もいます。近距離の接近戦になると、「先生〜、聞いてくださいよぉー」「先生、記録がうまく書けないんです」など、それぞれの悩みや思いを瞬時にぶつけてきます。このことが"教員が神様に見える"理由でしょうか。

　教員は、学生の気持ちを十分に察しています。でも、私たちが言えることはただ一つ、「がんばってこい！」です。

4. 教員との関わり

3 実習の進度について確認しよう

　各養成校には、「実習の手引き」や「実習要項」などが用意されていると思います。これらは臨床実習の事前ガイダンスなどに配布されることが多いようです。そこには、実習の目的や到達目標、実習期間中どのような実習内容をどれだけこなす必要があるのか（スケジュール）、実習中の知識や技術がどこまで身についたかを評価する評価表、接遇やマナーなどを示している養成校もあります。

(1) "やらされ感"で行っては楽しくない

　実習は、規程で決まっているから実習施設に通っているんだ、という"やらされ"感で行っていては毎日が楽しく、充実した実習を行うことは難しくなります。学生には、いま一度、何のために実習に行くのかを自問自答してほしいと思います。

　たとえば、以前ある臨床実習中の学生が実習指導者に「同じメーカーの同じ機種の人工呼吸器でも、施設によって管理の方法が異なるし、使っている呼吸器の回路も異なる場合がある」という指導を受けたことがありました。学生は養成校の教員に、それはなぜなのだろうと疑問を投げかけました。私たちは、教科書に記載されていることが当たり前で、それが正しい知識としていままで学習してきました。しかし、実際に臨床に出ると教科書どおりにはいかない場合や教科書に書かれていること以外にもっと効果的な方法が臨床現場で確立していることがあります。施設のオリジナリティとでもいうのでしょうか。このような学習は養成校での学習だけでは知り得ないことなのです。この部分を掘り下げていくことも実習の目標にもなります。

(2) 実習目標や計画があればビクビクしなくてもよい

　自分が掲げる実習目標に到達しているのかを実習指導者とともに確認しながら新たな目標を組み立てていくことを毎日繰り返すことにより、主体的な実習をすることができます。すなわち"ビクビクしない実習"をすることができます。"壁の華"にならなくてもよいということです。

　今日、自分が組み立てた実習目標は実習指導者と合意の得られたものであり、目標をクリアするためにはどういった行動をこなしたらよいか、という計画が立てられているのであれば、実習指導者がいない空き時間に何をするのか困ることがあっても、ビクビクする必要もありません。計画立てて実習ができているのであれば、誰からも何も言われないはずです。

　ただし、後述のカンファレンスの中でも解説をしますが、自分の実習進度は教員や実習指導者に毎日しっかりと確認をしてもらう必要はあります。それは、最低限身につけなければならない知識や技術に不足があってはならないからです。

　養成校によっては、実習要項の中に、細かく実習項目を列挙し、その項目ごとにチェック欄を設け、その実習を経験できたか、できなかったかを確認する場合があります。そのような項目を活用することで実習中の経験もれをなくすという工夫も必要です。また、そこに記載されている項目が臨床実習のすべてではないということも理解してほしいと思います。

● ● ● Column ● 3 　現場で働く臨床工学技士から

未来に羽ばたけ！　まずは臨床実習だ‼

　臨床工学技士が活躍するフィールド、みなさんはどのように想像されますか？　病院や診療所などの臨床の第一線ですか、あるいは医療機器の企業でしょうか。いえいえ、最近ではこれらに限らず医療機器を研究開発・製品化する方、厚生労働省などの中央省庁に勤務する方など、さまざまあります。ただ、どのような立場であっても、われわれ臨床工学技士が目指すところは、医療機器を適正かつ安全に使用することです。すべては「いのち」を支えるため。

　私も変わり種で、今は日本臨床工学技士会で臨床工学技士が医療に貢献する仕組みづくりに取り組んでいますが、その前は医療機器に特化したシンクタンク、さらに前は医薬品医療機器総合機構（PMDA）で、医療機器の安全使用に関する仕事をしました。もっと遡ると、免許取得から15年間は病院で救急・集中治療と医療機器管理を担当しました。改めて思えば、私が幅広い仕事に携わることができるのは、臨床実習や病院勤務で疾患や治療法、医療機器の使い方など多くのことを学んだからです。みなさんは、今まさに、この魅力的な医療の現場に飛び込もうとしているのです。

　同時に、みなさんは国家試験を目指して勉強をされていますね。残念ながら、臨床実習で学ぶことは必ずしも試験に結びつくものばかりではありません。でも、試験に出ないことは勉強しなくてよいのですか？　ほかの医療スタッフについて理解する、患者さんや家族の心に寄り添う、人口減少時代に医療の環境に興味をもつ、実習で見るもの・聞くもの・感じるもの、それらすべてが未来のみなさんに役立ちます。視野を広げてなんでも興味をもって取り組んでください。そのように心がけることで、自ら、「**臨床工学技士：いのちをささえるエンジニア**」としての可能性を無限に広げることができるのです。正直なところ、臨床実習はやさしくはありません。だって、「いのち」の現場ですから。同じ苦労をするのであれば、未来への希望が広がる、そんな時間にしようではありませんか。

公益社団法人　日本臨床工学技士会
専務理事　青　木　郁　香
（公益財団法人　医療機器センター附属医療機器産業研究所）

4 実習のつらい気持ち、ストレスをわかってもらう

　実習中は、慣れない環境で勉強することから、心身ともに大きなストレスを抱える学生がいます。普段、体調には問題なくても、実習中は、なかなかベッドから起きあがれない、食欲がわかないなど、心身のトラブルが発生します。時には、実習指導者から言われた課題や問題に対応できず、休んでしまう学生もいます。
　その気持ち、よくわかります。
　しかし、筆者から言えば、学生のみなさんは、これから長い長い臨床工学技士の人生を 40 年ほど歩もうとしているのです。そう考えると、今はわずか 6 週間ほどの実習に苦労しているだけなのです。そのなかの、本当にストレスだと感じる日は、実習期間中すべてなのでしょうか。もっと、大きなスケールで話をしましょう。現在は、"人生 100 年時代"といわれています。100 年の中のわずか 6 週間です。そのように考えると、少し楽になってきませんか。心の持ち方を少し変えることも大切です。

(1) ストレスの要因

　しかし、いくら 6 週間とはいえ、そのストレスは消えるわけでもなく、しっかりと向き合っていかねばなりません。では、学生さんの抱えるストレスは、何が原因で生じるのでしょうか。近村ら[1]の調査によると、看護学生のストレスの原因（ストレッサー）には図 4-1 に示すものがあります（臨床工学の学生に共通すると思われる内容のみ抽出）。
　そのなかには、からだが疲れるなどの意見もありました。確かに、不慣れな環境で 1 日立ちっぱなしのこともあるでしょう。休憩時間や昼ごはんも決まった時間に取ることはあまりありません。これは日頃からの生活リズムを整えることと、体力づくり（栄養を取ることも含めて）が

4. 教員との関わり

図 4-1　実習中のストレッサー

必要かと思います。また、自分自身の体力の把握をすることも必要です。過去に気分が悪くて授業に出られなかったなどの経験をした人は、それはどんなときに何をするとそうなったのかを自分のからだを分析しましょう。限界を知ることで未然に事態を予防することができるからです。

(2) コミュニケーションの大切さ

患者さんや家族、指導者、教員などの対人関係についてうまくやれないということがストレスの要因であることもわかっています。その原因に、コミュニケーション不足があります。日頃から自分の思っていること、考えていることを他者に声にして伝える訓練ができている人はこの部分でのつまずきは少ないかと思います。しかし、すべての人がそれを学生の頃から100％できるとは限りません。ただ、みなさんに理解してほしいことは、人間対人間の関係において、人の心の中は言葉（もしくはそれに変わるツール）をもって相手に伝えなければ相手にはわかってもらえないことが多くあるということです。みなさんのお父さん、お母

さんのような素敵なご夫婦のように"ツーといえばカー"のような関係で、何も言われずとも勝手にお茶が出てくるとか、勝手に風呂が沸いているとかであればいいのですが、相手は患者さんでありその家族です。また、指導者であり教員です。四六時中、みなさんとともに生活をしているわけではありません。そこをよく理解してコミュニケーションをとってほしいと思います。

　学生が抱えているストレスを、他者にわかってもらうこともコミュニケーションの一つです。1人で心の中でもやもやしていても、それを表現されない限り誰も理解を示してくれません。しんどいこと、辛いこと、困っていることなどを、勇気を出してまずは友人や教員に伝えてみてください。

Column 4　現場で働く臨床工学技士から

　臨床実習を控えるみなさんは、担当となられる実習指導者の人となりが気になりながら、早くも緊張をしていることでしょう。実習施設においては、2021年の医療法の改正によるタスクシフティングにより、指導者の方々も右往左往し緊張しているところだと思います。

　臨床実習はガイドラインなどに従い、実際の仕事の流れで行われます。学校ではできないことを経験する場ですから、「やりたいか」と聞かれたらチャンスだと思って積極的にチャレンジするようにしてください。「失敗したらどうしよう」「不器用と思われたくないな」……という感情は不要です。

　基本的に臨床実習は、専門的知識や技術を学ぶ機会なのですが、あえて私が見ていただきたいと思うことは、院内でさまざまな年代の患者さん、慢性疾患や急性疾患の患者さん、看取りの患者さんなど多種多様な患者さんと接している職員の会話の仕方やインフォームドコンセント、指導などです。また、各職種間での連携をぜひしっかり見てほしいと思います。

　患者さんと医療者間の信頼関係をつくるためには、いわゆるコミュニケーション能力が不可欠です。さらに今後の業務拡大に伴い、今まで以上に関係職種間で連携しながら適切な関係を築いていくことが必要となります。さまざまな方に自身の伝えたいことが伝えられる話術はとても重要です。しっかりと臨床実習で「見て」「聴いて」「感じて」コミュニケーション能力を高めてほしいです。もし、実習中に患者さんと接する時間がもらえたら、そのことをよく考え会話をしてみてください。もちろん無駄話はすべきではないですし、質問内容やタイミングにも気を配る必要があります。その経験はきっと今後のコミュニケーションスキルにヒントを与えてくれると思います。

　実習は優秀な学生発掘の場ではないので、失敗を恐れずに臨んでください。学校とは異なる環境で異なる経験をすることが実習であり、働くことのヒントを見つける学習ではないでしょうか。

フクダライフテック京滋株式会社
在宅医療災害対策アドバイザー
防災士　井 上 勝 哉
（元　京都ルネス病院　臨床工学科長）

5　記録物の確認をしてもらおう

　先ほどのストレスの要因（ストレッサー）として、記録物がうまく書けないという意見もありました。看護学生の記録物と、臨床工学技士の記録物はまったく異なり、看護系の記録物は圧倒的に種類が多いです。しかし、臨床工学技士の記録物もハードルは高く、事前に予習をしてまとめていかないと、当日実施する実習内容についていけないでしょう。また、今日実施した内容についても頭の整理をし、何が理解できて何が理解できなかったのか、実習指導者からの質問にも記録物を通してまとめなければなりません。

（1）読んでもらえるレポートとは
　書くことが普段から苦手な人と、そうでない人がいます。養成校の教育過程において、すでにその能力を身につけているはずですが、書くことはやはり困難だと思っている人は多いかと思います。第5章で、レポートの記載方法については詳しく触れますが、まず人に読んでもらうことが大前提です。人に読んでもらえるレポートとはいったい何かと考えたとき、❶丁寧であること、❷行間や文字間隔が適正であること、❸文字の大きさが適正であること、❹図や表、イラストなどを使用している、❺色をつけて工夫しているなどが基本となります。ときどきとても読みにくい書き手独自の文字、解読困難な文字を見かけます。これは本当に人に読んでもらおう、伝えようとする意思があるか疑問に思うことがあります。

（2）レポートを提出する意味
　記録物にそんなに時間をかけたくないという学生も多いことでしょう。しかし、これがみなさんにとって必要な勉強であり、卒業するまで

4. 教員との関わり

に取得しておかねばならない大切な実習項目（知識や技術）であることを忘れないでほしいと思います。

　実習指導者や教員はなぜ、再度レポートの提出を求めると思いますか？　それは誤ったことをそのまま知識として頭に入れてほしくないからです。すなわち、誤った知識や見解は先々の患者さんへの治療に影響するからです。したがって、学生の理解を知りたいために何度もレポートを要求しているのです。

　前述の、❶〜❺ができているうえで、教員や実習指導者に内容を確認してもらいましょう。また、そこで指摘された事項については期日までに加筆修正をして、再度確認をしてもらいましょう。万一、期日が設けられなくても近日中には再度確認してもらうことが必要です。

6　3者間カンファレンスで次の実習に備えよう

　筆者が以前、勤務していた養成校において、実習期間中に学生、教員、実習指導者の3者間カンファレンスを実施した経験があります。なぜ、このようなカンファレンスを実施したかというと、学生が実習指導者とうまくコミュニケーションがとれずに困っていた背景がありました。いろいろと実習指導者に話しかけて、確認したいことや質問したいこともあるけれど、なかなか声に出して話をするきっかけやタイミングがわからず、そのまま放置してしまうケースがあったからです。

　実習指導者も学生に声をかけ、緊張をやわらげ配慮してくれますが、なかなか学生にはうまく響かないこともあります。そこで、教員が通訳のように間に入り橋渡しをすれば、学生と実習指導者の互いの理解に結びつくのではないかと考えたのです。

　実際に、この3者間カンファレンスの効果を調査し、その成果を報告しました[2]。結果として、3者間カンファレンスを実施することで、学生が臨床実習中に抱くさまざまな不安や問題点について、教員や指導者に明確にすることができました。また、問題点の解消に向けた改善策が双方の合意のもとで見出せたり、指導の方向性を共通理解したり、指導者・学生間のコミュニケーションを構築する機会として機能しました。また、学生はカンファレンス実施後主体的な実習行動へと結びつくことができました。

　実情は、教員や実習指導者とのスケジュール調整にかなり苦労しましたが、その部分さえクリアできればきっと早い段階から実習指導者とも良いコミュニケーションがとれるのではないかと思います。養成校や実習施設の考え方にもよりますが、実習で行き詰まったときには、実習ペアの学生と企画をして、このような方法で実習中の問題を解決することもできます。

4. 教員との関わり

●●● Column ● 5　知っていたら少しは得をする（？）患者さんの移送：

ストレッチャー
- 2人でストレッチャー移動をしましょう
- 毛布などの上からベルトを使い、患者さんの固定をしっかりとりましょう
- 傾斜のないところでは患者さんの足側が先になるよう進行しましょう
- エレベーターでは頭側から進行しましょう
- 上り坂では頭を先に進行させましょう
- 下り坂では足を先に進行させましょう

車椅子
- 点滴がある場合は、点滴棒を車椅子に差し込み使用する（患者さんに持ってもらうのは危険です）
- 足元など寒い場合はタオルや毛布をかけてあげましょう（車輪への巻き込み注意）
- エレベーターには後ろ向きで乗りましょう
- 坂道では後ろ向きに下がりましょう

歩　行
- スリッパではなく、靴に履き替え移動しましょう
- 寝衣がはだけていないか確認しましょう
- 寒いときは上着などを着てもらいましょう
- 点滴スタンドを持っている場合は、コマが溝などにはまらないようにしましょう

Chapter 5
メモとレポート提出

1 実習先では何をみてきたらいいの？

　2021年の改正医療法により臨床工学技士の業務内容が拡充され、臨床工学技士養成校でも2023年度の入学生より法改正に合わせた新カリキュラムとなります（第1章 1 項参照）。臨床実習の規定にも、これまでは指定されていなかった「**必ず実施させる行為・必ず見学させる行為**」（表5-1）および「**見学させることが望ましい行為**」（表5-2）が追加されることになりました[*1]。これらの項目はこれまでの臨床実習でも実践されていますので、新カリキュラムにかかわらず今後の臨床実習では意識する必要があります。そこで本項では、新カリキュラムの臨床実習で区分された項目ごとに「**事前に習熟しておくべき項目**」と「**教科書にはない臨床実習ならではの学習項目**」について記します。

表5-1　臨床実習において必ず実施させる行為・見学させる行為

実習内容	実施させる行為	見学させる行為
呼吸療法関連	人工呼吸装置の点検	● 呼吸療法に使用する機器および回路、呼吸療法の実施に必要な薬剤ならびに当該機器の運転条件および監視条件に関する医師の指示の確認 ● 呼吸療法に使用する機器および薬剤の準備 ● 人工呼吸装置の組立て ● 人工呼吸装置の運転条件および監視条件の設定および変更 ● 呼吸療法における監視機器を用いた患者観察 ● 呼吸療法に使用する機器および物品の消毒ならびに使用した物品の廃棄
人工心肺関連	人工心肺装置の点検	

[*1] 基本的に新カリキュラムが適応となる2025年以降の臨床実習（養成校によっては2024年）から義務化されます。

5. メモとレポート提出

実習内容	実施させる行為	見学させる行為
補助循環関連	補助循環装置の点検	
血液浄化療法関連	血液浄化装置の点検	● 血液浄化療法に使用する機器および回路、血液浄化療法の実施に必要な薬剤ならびに当該機器の運転条件および監視条件に関する医師の指示の確認 ● 血液浄化療法に使用する機器の準備 ● 血液浄化装置の組立てならびに回路の洗浄および充填 ● 血液浄化装置の穿刺針その他の先端部のシャント、表在化された動脈または表在静脈への穿刺および除去 ● 血液浄化装置の運転条件および監視条件の設定および変更 ● 血液浄化療法に使用する機器を用いた血液浄化療法の実施に必要な採血 ● 血液浄化療法における血液、補液および薬剤の投与量の設定および変更 ● 血液浄化療法における監視機器を用いた患者観察 ● 血液浄化療法に使用する機器および物品の消毒ならびに使用した機器および物品の廃棄
ペースメーカ関連	ペースメーカなどの点検	
集中治療関連	生命維持管理装置の点検	● 生命維持管理装置、集中治療に使用する機器および回路ならびに集中治療の実施に必要な薬剤の準備 ● 生命維持管理装置の組立ならびに回路の洗浄および充填
手術関連(周術期を含む)	手術関連機器の点検	
鏡視下手術における視野確保関連	内視鏡手術システムの点検	
心・血管カテーテル治療関連	カテーテル関連機器の点検	
保守点検関連	点検の実施	

表 5-2 臨床実習において見学させることが望ましい行為

実習内容	見学させることが望ましい行為
呼吸療法関連	● 人工呼吸装置の操作に必要な吸入薬剤および酸素などの投与量の設定および変更
人工心肺関連	● 心臓手術時の体外循環に使用する機器・回路等および操作に必要な薬剤、運転・監視条件の指示書等の確認 ● 心臓手術時の体外循環に必要な機材の準備 ● 人工心肺装置の組立ておよび回路の充填 ● 人工心肺装置の運転・監視条件の設定および変更 ● 人工心肺装置の操作に必要な血液、補液および薬剤の投与量の設定および変更 ● 心臓手術時の体外循環に必要な監視機器を用いた患者観察 ● 心臓手術時の体外循環に使用する機器の終業点検、消毒および洗浄
補助循環関連	● 補助循環に使用する機器・回路等および操作に必要な薬剤、運転・監視条件の指示の確認 ● 補助循環に使用する機器・回路、薬剤の準備 ● 補助循環装置の組立ておよび回路の充填 ● 補助循環装置の運転・監視条件の設定および変更 ● 補助循環装置の操作に必要な血液、補液および薬剤の投与量の設定および変更 ● 補助循環装置の操作に必要な監視機器を用いた患者観察 ● 補助循環に使用する機器および使用物品の消毒ならびに使用後の消耗機器および物品の廃棄
ペースメーカ関連	● 使用するペースメーカなど・プログラマおよび操作に必要な治療材料や薬剤、運転・監視条件の指示書などの確認 ● 不整脈治療に使用する治療材料および薬剤の準備 ● 不整脈治療に使用する機器の運転・監視条件の設定および変更 ● 不整脈治療に使用する機器の操作に必要な監視機器を用いた患者観察 ● 不整脈治療に使用する機器および使用物品の消毒ならびに物品の廃棄
集中治療関連	● 生命維持管理装置の操作に必要な治療材料および薬剤ならびに運転・監視条件の指示の確認 ● 生命維持管理装置の運転・監視条件の設定および変更 ● 生命維持管理装置の操作に必要な監視機器を用いた患者観察 ● 生命維持管理装置および使用物品の消毒ならびに使用後の消耗機器および物品の廃棄

5. メモとレポート提出

実習内容	見学させることが望ましい行為
手術関連（周術期を含む）	● 術式、使用する手術関連機器の操作に必要な治療材料や薬剤、運転・監視条件の指示の確認 ● 併用する生命維持管理装置の操作に必要な薬剤および運転・監視条件の指示の確認 ● 手術関連機器および治療材料の準備 ● 手術関連機器の組立て ● 手術関連機器の運転条件の設定および変更 ● 手術関連機器の操作に必要な監視機器を用いた患者観察 ● 手術関連機器等および使用物品の消毒ならびに使用後の消耗機器および物品の廃棄
鏡視下手術における視野確保関連	● 術式および使用する内視鏡手術システムに関連する指示の確認 ● 内視鏡手術システムおよび治療材料の準備 ● 内視鏡手術システムの組立て ● 視野確保のための内視鏡用ビデオカメラの保持・操作 ● 内視鏡手術システムの運転条件の設定および変更 ● 内視鏡手術システムの操作に必要な監視機器を用いた患者観察 ● 内視鏡手術システムの消毒および後片付け
心・血管カテーテル治療関連	● 検査・治療の内容、使用するカテーテル関連機器および操作に必要となる薬剤の指示の確認 ● 併用する生命維持管理装置の操作に必要な薬剤、運転・監視条件の指示の確認 ● カテーテル関連機器、治療材料および薬剤の準備 ● カテーテル関連機器の組立て ● カテーテル関連機器の運転条件の設定および変更 ● カテーテル関連機器の操作に必要な監視機器を用いた患者観察 ● カテーテル関連機器や使用物品の消毒および、使用後の消耗機器や物品の廃棄 ● 身体に電気的負荷を与えるための当該負荷装置の操作
静脈路確保関連行為関連	● 生命維持管理装置を使用して行う治療における当該装置や輸液ポンプ・シリンジポンプに接続するための静脈路の確保および接続 ● 生命維持管理装置を使用して行う治療における輸液ポンプやシリンジポンプを用いる薬剤（手術室で使用する薬剤に限る）の投与 ● 生命維持管理装置を使用して行う治療における当該装置や輸液ポンプ・シリンジポンプに接続された静脈路の抜針および止血

（つづく）

表 5-2 臨床実習において見学させることが望ましい行為 (つづき)

実習内容	見学させることが望ましい行為
保守点検関連	● 定期点検の計画立案・実施 ● トラブル・不具合発生時の対応 ● 修理時の対応 ● 添付文書または操作マニュアルの管理 ● 電気・医療ガス設備の保守点検

(1) 呼吸療法関連実習

❶ 事前に習熟しておくべき項目

以下の項目について十分に調査、習熟して実習に行きましょう。覚えきれない細かい部分はメモ帳に記載して、いつでも調べられるように携帯しておくとよいです。

人工呼吸器の回路構成および組立て方法	回路の組立ては臨床実習でも実施する可能性がありますし、回路にもさまざまな種類があるため、基本の構成とそれぞれの役割を理解しておくとよいでしょう。
人工呼吸器の運転条件（呼吸モード）	教科書にはたくさんの呼吸モードが載っていますが、実際に臨床現場で汎用されているのはそんなに多くはありません。それぞれの特徴だけでなく呼吸波形も一緒に覚えておくと臨床現場でも理解しやすいです。
呼吸療法に使用する薬剤	急性呼吸不全や慢性呼吸不全などの病態ごとに使用する薬剤や薬物療法について調べておくとよいでしょう。
人工呼吸器管理中の監視条件	人工呼吸器を使用する患者さんはさまざまなモニタリングが必要になります。監視条件の設定・変更、監視機器を用いた患者さんの観察も"必ず見学させる行為"に入っているため、事前に監視機器の種類や正常値などを確認しておきましょう。
人工呼吸器の点検	始業点検や終業点検などで実施する装置の自己診断が中心の点検と、定期点検での詳細な性能確認を含む点検に分かれますが、どちらも臨床実習で実施する可能性が高いです。どのような意図でどんな項目の点検があるのか調べておくとよいでしょう。

5. メモとレポート提出

NPPVの回路構成を呼吸モード	NPPV（非侵襲的陽圧換気療法）の専用器は通常の人工呼吸器と異なり、1本の回路でブロアから送気される空気により換気します。また、呼吸モードの名称も異なりますので、通常の人工呼吸器と分けて理解しておく必要があります。
医療ガス設備	呼吸療法では酸素と圧縮空気だけでなく吸引も使用します。配管端末器やガスボンベなど人工呼吸器に使用する医療ガスの供給についても調べておくとよいです。

❷ 教科書にはない臨床実習ならではの学習項目〔呼吸療法連実習〕

人工呼吸器の機種ごとの特徴	人工呼吸器はメーカごとの機種によって特定のモードが備わっているなど、特徴が大きく異なります。もし臨床実習先に見たことのない機種の人工呼吸器があった場合は、どのような特徴があるか質問してみるとよいです。
人工呼吸器導入時の設定	教科書にも初期設定は記載されていますが、それはあくまでも基本となる目安であり、導入時の患者さんの病態によって異なる設定にする場合もあります。人工呼吸器導入時にはどのような検査項目で評価をしていて、どんな病態の患者さんにどんな設定にするのか見学してきましょう。
人工呼吸管理中の患者観察および設定変更	臨床現場で実際に使用している監視機器や監視項目は、実習施設や患者さんの病態によっても異なります。実際にどのように活用しているか学んできましょう。
人工呼吸器からのウィーニング	人工呼吸器は副作用も大きい装置ですので、適正なタイミングでウィーニング（離脱）させることが重要です。施設によってSBT（自発呼吸トライアル）のような評価基準を使用している場合もあれば、患者病態や検査結果から総合的に医師が判断する場合もあります。また、ウィーニング時の設定変更の流れも施設や患者さんによって異なる場合がありますので、臨床現場ならではの臨機応変な対応やウィーニングの重要さを感じてきてください。
呼吸ケアチーム	現在、臨床現場では複数職種の担当者が集まってチームで施設全体の呼吸管理を担当するシステムを導入する施設が多くなってき

（つづく）

呼吸ケアチーム （つづき）	ています。呼吸ケアチームの業務は施設によって異なる場合もあるため、もし臨床実習先でそのようなシステムが取り入れられていれば、臨床工学技士はどのような役割を担当しているか学んできましょう。
院内ラウンド	患者さんに装着している人工呼吸器の点検や装着している患者さんの病態把握のため、定期的にラウンド（巡視）して確認するのも重要な業務です。どのような項目を確認し、どう対応しているのか見るだけでもとても勉強になると思います。
トラブル対応	人工呼吸の管理中は回路のトラブルから患者さんの急変までさまざまなトラブルが考えられますが、それらにどのような対応をしているか、またその中での臨床工学技士の役割など、機会があれば積極的に学んできましょう。

(2) 人工心肺関連実習
❶ 事前に習熟しておくべき項目

回路構成とそれぞれの役割	回路の組立てやプライミングを経験させてもらえる場合もありますが、施設やメーカによって回路構成が一部異なります。しかし、各部の役割やメインの流れは変わりませんので、回路構成や役割についてはしっかり覚えて、実習中に施設ごとの回路の説明をされたときにテキストとの違いがわかるようにしておく必要があります。
周辺機器とそれぞれの役割（心筋保護装置や自己血回収装置など）	心筋保護装置や自己血回収装置などの操作を教えてもらえる場合がありますので、周辺装置であっても基本構成や役割などは覚えていきましょう。
人工心肺手術の適応疾患と術式ごとの手術の流れ	手術の流れがわかると、実習中の手術見学で習得できるものがとても多くなります。しかし、疾患によって人工心肺を操作する臨床工学技士の対応も大きく変わりますので、術式ごとの手術の流れを調べていくことも重要です。すべて調べるのは無理ですので、事前に見学できる手術が決まったときに調べる程度でも十分です。

5. メモとレポート提出

血液希釈	手術中は血液を含まないプライミング液で血液を希釈することが一般的です。希釈の目的や影響について理解しておきましょう。また、希釈率と希釈したことによる予想ヘマトクリット値（血液中に赤血球が占める割合）の計算が求められる場合もありますので公式を調べて計算できるようにしておきましょう。
各種検査項目およびモニタリング項目と正常値	手術中は血液ガス分析や混合静脈血酸素飽和度、血清電解質などの血液検査に加え、各部位ごとの血圧や心電図、体温など多くのモニタリングを実施して、その状況に合わせた対応が臨床工学技士にも求められます。臨床工学技士が何を目的に手技をしているか吸収するために、各種検査項目の正常値などは覚えるか、調べてメモに記しておきましょう。
人工心肺手術に使用する薬剤	人工心肺装置を準備する際にはプライミング液に多種多様な薬剤を加えるほか、手術中も患者さんの病態変化に合わせてさまざまな薬剤を使用します。どのような薬剤を何の目的に使用するか、事前に調べておくとより理解を深めることができるでしょう。
人工心肺装置の点検	始業点検や終業点検などの日常点検と、性能確認を含む定期点検に分かれ、臨床実習で見学または実施する可能性があります。どのような意図でどんな項目の点検があるのか調べておきましょう。

❷ 教科書にはない臨床実習ならではの学習項目〔人工心肺関連実習〕

施設ごとの回路構成の違い	回路は施設ごとに設計している場合が多く、構成など一部変わる場合がありますので、どのような目的で構成が考えられているかを学んできましょう。
人工心肺操作に関連する医師の指示	術式により人工心肺装置の操作方法は異なります。使用物品、薬剤、運転条件など、臨床現場ではどのように医師からの指示を確認して対応しているか、実際に見学させてもらいましょう。
人工心肺操作の準備、運転・監視条件の設定および変更	人工心肺装置の回路組立てやプライミングの手技、使用する薬剤、患者さんごとの運転・監視条件の設定も施設によって異なる場合があります。事前に調べた教科書的な内容との違いも含めて確認してきましょう。

（つづく）

人工心肺手術での臨床工学技士の役割	人工心肺手術では本体を操作する臨床工学技士（パーフュージョニスト）に加え、周辺装置の操作や全体のサポートをするために複数人体制で担当します。それぞれの動きなどを見学し、それぞれがどのような役割を担当しているのか勉強してきましょう。
トラブル対応	手術中は意図しない変化やトラブルが起こる場合もあります。トラブルの種類や対応はさまざまあり、教科書に書ききれるものではありません。もしそんな現場を見学できた場合は、トラブルの原因や必要な対応について学んできましょう。
他のスタッフとの連携	人工心肺手術では外科医や麻酔科医、看護師など多くの医療スタッフと連携をとります。時には阿吽（あうん）の呼吸で進むこともあり、実際に手術室でどのような連携をとっているか見学することは臨床現場でしか学べないものです。
人工心肺装置の点検	施設や装置によっても点検内容が異なる場合があります。調べておいた教科書的な内容とどのように違うかも含めて確認することで知識がさらに深まります。

(3) 補助循環関連実習

❶ 事前に習熟しておくべき項目

ECMOの回路構成と人工心肺における管理との違い	ECMO（体外式模型人工肺）はPCPS（経皮的心肺補助）ともよばれます。ECMOは人工心肺に近い構成ですが、適応や管理方法は大きく異なります。また、件数も少なく臨床実習中に見学できない方もいると思います。もし見学できたときには少ないチャンスをものにできるように人工心肺との違いを十分理解していきましょう。
ECMOの適応や管理方法の基本	COVID-19の影響により多くの医療施設でECMOが普及しています。循環補助を主目的とするV-A ECMO[*2]だけでなく、呼吸補助を目的とするV-V ECMO[*3]として使用されている症例も多いかもしれません。両者の適応の違いや管理方法の違いも事前に調べておきましょう。
IABPの治療原理	IABP（大動脈バルーンパンピング）は心電図や動脈圧波形から心臓の収縮、拡張を読み取り、連動させて動作させるため、定常流

5. メモとレポート提出

	で送る ECMO と比較して複雑に感じます。教科書に記載されている治療原理や適応をよく理解していきましょう。
補助循環装置の点検項目	ECMO や IABP などの補助循環装置の点検は、臨床実習で見学または実践することがあります。日常点検項目および定期点検項目を事前に調べておくとよいでしょう。

❷ 教科書にはない臨床実習ならではの学習項目〔補助循環関連実習〕

補助循環開始時の臨床工学技士業務	ECMO や IABP などの補助循環は、事前に日程を決めて準備できる人工心肺手術と異なりほとんどが緊急で実施されるため、導入時の準備や操作を見学できる機会は稀です。回路のセッティングやプライミング、薬剤の準備、接続時の操作などを見学し、まわりのスタッフとの連携を学びながら、その空間の緊張感を肌で感じてきてください。
治療中の患者対応	ECMO や IABP などの適正な管理方法は、患者の病態によって異なるため教科書では勉強できません。どのようなモニタリング項目(血圧や動脈血ガス分析結果など)を確認してどう対応しているのか、プロの考え方を学び取ってきてください。

(4) 血液浄化療法関連実習

ここではとくに血液透析業務に焦点を当てて説明します。

❶ 事前に習熟しておくべき項目

透析原理	拡散や限外濾過などの原理が実際にはどのように使われているかをつなげて覚えておきましょう。
腎臓のはたらき	尿で排出を調整している物質について。そのほかに、ビタミン D の活性化や造血ホルモンの産生などについても習熟を深めておきましょう。

(つづく)

---

*2 大腿静脈から挿入したカニューレから脱血した静脈血を ECMO で酸素加(二酸化炭素排出)して、大腿動脈より挿入したカニューレで送血することで、呼吸・循環双方の補助を目的とする。
*3 カニューレ先端を中心静脈または右心房に留置して脱血した静脈血を ECMO で酸素加(二酸化炭素排出)して静脈または右心房に送血することで、呼吸の補助のみを目的とする。

透析患者の病態生理	透析患者さんは腎臓の機能が低下することで、さまざまな合併症を引き起こします。とくに習熟しておかなければいけないのは、貧血や高カリウム血症のほか、長期予後に大きな影響を与えるとされているCKD-MBD（慢性腎臓病に伴う骨ミネラル代謝異常）についてです。
血液透析に関連した検査項目	長期にわたり治療が必要な透析患者さんは、定期的に血液検査や画像診断を必要とします。検査項目と正常範囲、合併症との関連などについて確認しておきましょう。
透析療法に使用する薬剤	血圧管理や貧血、CKD-MBDに対してどのような薬物用法を実施しているか調べておきましょう。ただし、同じ病態でも医師の方針によって投与方法が異なったり、製薬会社によって薬剤名なども異なりますので、調べきれない部分は実習中に学びましょう。
血液透析の運転条件-①（治療モード）	HD（血液透析）やHDF（血液透析濾過）のほかに、ECUM（体外限外濾過法）やAFBF（アセートフリーバイオフィルトレーション）、IHDF（間歇補充型血液透析濾過）などについても、質問されて答えられる程度には最低限理解しておきましょう。HDFは前希釈と後希釈の違い、オンラインとオフラインの違いについても分けて覚えておきましょう。
運転条件-②（設定条件）	患者さんごとに血流量や除水量は異なります。それぞれの適正範囲やその意図、および変更する場合の理由などについて覚えておきましょう。
血液透析の監視条件-①（モニタリング項目）	静脈圧（返血圧）やTMP（膜間圧力差）、気泡検知など装置で連続監視している項目に加え、血圧や患者さんの病態変化など医療従事者が定期的に測定する項目など、患者さんの安全確保のために監視している項目と個々の目的について調べておきましょう。
監視条件-②（監視機器）	治療中に行う検査や患者観察に用いる監視機器にはどのようなものがあり、何を目的に測定するか、また使用上の注意点などを含めて調べておきましょう。
透析液	透析液にもさまざまな種類がありますが、汎用性の高い透析液は絞られます。組成にはどのような違いがあり、どう使い分けるかについて調べておきましょう。

膜の種類	膜の種類と特徴、膜面積の違いについても調べておき、実習施設がどのように使い分けているのかを理解できる程度の基礎を積んでおきましょう。
抗凝固剤	ヘパリン、低分子ヘパリン、メシル酸ナファモスタットなどについて、どのような特徴（半減期など）があるかを覚えておきましょう。
注射薬剤	透析終了時には回路内に直接注射薬を注入する場合があります。その注射薬にはどのようなものがあり、どんな場合に投与するのか調べておきましょう。
水処理装置	実習では装置の説明をしてもらえることも多いですし、点検や部品交換に立ち会える場合もありますので、装置の構成、および構成要素それぞれの役割について覚えておきましょう。
水質管理	もともと汚染されやすいうえに、治療手法によっては透析液を体内に補液する場合もあるため、透析液の清浄度管理は臨床工学技士の重要な業務の一つです。水質管理上の評価項目や適正範囲について調べておきましょう。
栄養指導	透析患者さんの食事管理においてはカリウムやリンを含む食材を、とにかく食べないように指導するというイメージをもっている人が多いです。確かに間違いではありませんが、現在ではカリウムやリンを低下させる薬剤もあるため、患者さんがしっかりとエネルギー摂取をできることが重要視されています。正しい栄養指導について調べておきましょう。
バスキュラーアクセス（VA）	血液透析において血液を送血、脱血するアクセスのことをいい、患者さんによって異なる場合があります。どのような種類と管理上の注意点があるか十分調べておきましょう（とくに、動脈表在化への穿刺は2021年の改正医療法で追加された業務ですので、適応患者や解剖学的な特徴について確認しておくとよいです）。
血液透析に使用する機器や物品の消毒および廃棄	治療に使用する機器や物品には、使用後に廃棄するものと消毒して再使用するものに分けられます。用いられる消毒液や消毒方法、または廃棄する場合の注意点などについても調べられる範囲で調べておき臨床実習で確認しましょう。

❷ 教科書にはない臨床実習ならではの学習項目〔血液浄化療法関連実習〕

血液透析装置および水処理装置の点検	臨床現場では使用前点検や使用後点検などの日常点検に加え、定期的に装置の性能を確認するための定期点検を行っています。水処理装置を含むすべての機器が稼働していないと確認できない項目もあるため、臨床実習で実際に確認させてもらいましょう。
透析治療に関連する医師の指示	治療モードや使用物品の変更、薬剤療法、運転条件や監視条件など、基本的には医師の指示のもとで行われます。臨床現場ではどのような方法で医師の指示がなされているのか、臨床工学技士がどのように確認しているかを実際に見学させてもらいましょう。
施設による手技の違い(機器の準備や回路組み、洗浄、充填、返血など)	一つひとつの手技や決まりごとは施設によって異なる場合が多いです。どのような意図をもってそのような手技になっているのかを、臨床実習で勉強することで現場の臨床工学技士たちがもっている特有の考え方を早く身に着けられるように意識しましょう。
装置による違い	装置によって操作方法が異なっていたり、特定の治療モードや監視項目が備わっていたりします。また装置の世代によっても使い方が異なるため、さまざまな装置に慣れるためにもしっかり経験してきましょう。
監視機器を用いた患者観察および設定変更	透析中は血圧変動を起こすことがありますが、患者さんによって血圧の基準値(血圧の正常値など)が大きく異なります。血圧以外にも臨床現場で治療中に観察している監視項目や監視機器、それらを患者さんごとにどのように使い分けて設定変更に活用しているか学んできましょう。
透析記録の方法と項目	透析中には、どのような意図をもってどんな項目を監視しているか勉強してきましょう。施設によっては電子カルテ化しており、パソコンに入力する記録方法や、それが集中管理されている場合などがあります。
透析液作製に関わる臨床工学技士業務	透析液の作製や水質検査、保守点検業務なども施設や機種によって実施方法が異なります。施設ごとの実施方法とその意図について学んできましょう。

バスキュラーアクセス（VA）による違い	実際に穿刺や回路の接続を見学できるほか、内シャント、人工血管、動脈表在化、静脈留置カテーテル（Wルーメンカテーテル）など患者さんごとに使い分けられているさまざまなVAを確認することができます。また、VAによっても管理方法が異なるため、VAごとの接続（穿刺）や抜去の方法についても学んできましょう。
導入期と慢性期の違い	透析患者さんは透析を始めて間もない導入期と、透析を開始してから一定期間が経過した慢性期に分かれますが、一般的に授業で学んでいる内容は慢性期の場合です。導入期ではまだ一部の腎機能が正常に機能している場合もあり、患者さんの病態や治療法は一様ではありません。これも施設や医師の考えによっても変わる部分ですので、導入期の患者さんがいらっしゃる場合は慢性期との違いについて勉強させてもらいましょう。
ドライウェイト（DW）の意味と適正DW調整に必要な指標	排尿ができない透析患者さんは水分を摂取するほど体重が増えるため、適正な除水をするためにDWを設定し、その体重になるまで治療中に水分を除去します。しかし、人間は水分だけではなく脂肪や筋肉量の変化によっても体重が変動するため、一定期間おきに適正評価し、必要に応じて変更する場合があります。その方法もさまざまですので、ぜひ実習でその施設の考え方について勉強してきましょう。
外来透析と入院透析の違い	一般的には外来患者（自宅から通っている患者）さんと、合併症やそのほかの疾患治療のために入院している患者さんがいて、管理方法や考えるポイントが異なる場合もあります。とくに入院の背景ごとに考えなければいけないポイントを臨床実習で勉強してきましょう。
使用後の機器や物品の消毒および廃棄	実際に患者さんに使用した回路の廃棄や、装置または鉗子（かんし）などの機材の消毒をどのように実施しているかは施設によっても方法が異なります。教科書などで調べた内容とどのような違いがあるかも含めて見学または実施させてもらいましょう。

(5) ペースメーカ関連実習
❶ 事前に習熟しておくべき項目

心電図	正常な心電図波形だけでなく、ペースメーカ植込み適応となる不整脈についても覚えておきましょう。
ペーシングリード（電極）留置時のセンシング、ペーシング確認	医師が心内にリードを挿入した際には、留置位置が適正かどうかセンシング（心内電位の検出）の確認、デマンド感度やペーシング（ペースメーカからの出力）閾値などを測定します。測定項目とそれぞれの目安となる値について調べておきましょう。
ICHDコードの意味とよく使用されるモードの意味	臨床実習では現場の医療スタッフの会話が暗号のやり取りをしているようで、何をしているかわからない……、といったことを感じることがありますが、ペースメーカ植込み手術の見学ではとくに感じやすいでしょう。ICHDコードやリード挿入時の点検項目をしっかり理解しておくことで、吸収できるものがとても多くなります。
プログラマによる定期のペースメーカチェック	ペースメーカを植え込んでいる患者さんは普段は自宅で日常生活を送り、定期的に植え込んでいるペースメーカの点検にきます。現在、外来患者さんのペースメーカチェックの多くは臨床工学技士が担当しており、臨床実習でも見学する機会が多いです。チェック項目やその流れを理解しておくと、見学するだけでもとても勉強になります。
体外式ペースメーカと植込み式ペースメーカの違い	緊急時に一時的な補助で使用する体外式と、植え込むことで恒久的に使用する植込み式では構造も管理方法も大きく異なります。臨床現場で混同しないようそれぞれの特徴を理解しておきましょう。

❷ 教科書にはない臨床実習ならではの学習項目〔ペースメーカ関連実習〕

心電図	学生の中には心電図を苦手という人が多いです。その理由の一つは教科書に出ている心電図が静止画であるのに対して、臨床現場では流れている心電図波形を見ながら正確に診断する必要がある点です。これを習得するにはなれも必要であり、臨床実習でできる限り実際の心電図を見せてもらって訓練しましょう。

ペーシングリード（電極）留置時のセンシング、ペーシング確認	教科書にも確認する項目や適正範囲は表示されているものの、実践している現場を見なければ想像がつかないと思います。できる限り見学させてもらい、どのような流れでどの項目を確認しているか見てきましょう。とくにペーシング閾値を測定する際、画像を見ながら臨床工学技士が判断します。何度も見なければ変化がわかりにくいため、閾値測定の際にはぜひプログラマの画面を見せてもらいましょう。
ペースメーカ植込み時の医師との連携	植込み前の準備から、リード挿入時の点検、挿入後の設定確認など、非常に医師との連携の多い業務になります。医師からどのような指示が出てどのように対応しているのか、また、うまく連携するためにはどのような知識が必要なのかしっかりと感じてきましょう。3Dマッピングシステムは臨床現場でなければ操作しているところを見ることができません。その中でどのような関わりを求められているのかを感じられると、将来関わりたい業務を選択するうえで役立つはずです。
外来患者さんのペースメーカチェックにおける患者対応	植込み式ペースメーカの定期点検では、患者さんと直接対応することになります。患者さんの誘導から、心電図電極の装着、患者さんの症状確認まで、個室で直接コミュニケーションを取りながらの個別対応です。患者さんの気持ちを考えた対応を臨床工学技士がどのようにしているのか、自分ならどうするかを考えながら見学してきてください。

(6) 集中治療関連実習（急性血液浄化装置）

実際に集中治療室で使用されている生命維持管理装置についても見学または実技実習を行います。生命維持管理装置には、前項で述べた人工呼吸器、補助循環装置のほかに急性血液浄化装置があります。ここでは急性血液浄化装置を中心に説明します。

❶ 事前に習熟しておくべき項目

治療法ごとの適応疾患	どのような疾患や病態に対して、どんな標的物質を除去するため、どの治療法を選択するか、それぞれの組合せについて調べておきましょう。

（つづく）

治療法ごとの回路構成	急性血液浄化療法には循環動態の不安定な患者さんの腎代替療法であるCHD（持続的血液透析）やCHDF（血液濾過透析）に加え、特定の物質を吸着除去する血液吸着や血症吸着、さらに血漿中の病因物質を除去する血漿交換などがあります。それぞれに回路構成が異なり、非常に複雑なため調べておくとよいでしょう。
急性血液浄化装置の点検項目	血液透析に近い原理の治療方法もありますが、透析液が配管から供給されていないため、装置の特性も大きく異なります。急性血液浄化装置の点検も臨床実習で見学または実践することがあるため、日常点検と定期点検の点検項目を確認しておきましょう。

❷ 教科書にはない臨床実習ならではの学習項目〔集中治療関連実習〕

治療法ごとの回路組みやプライミング方法	養成校では設備している施設も少ないうえに回路も高価なため、学内で実技実習をするのは非常に難しいです。もし臨床実習で見学する機会があれば、実際の回路構成や回路組み、薬剤の準備やプライミングなどをしっかり見て、流れを理解してきてください。
バスキュラーアクセス（VA）	ある程度流量が必要な場合や複数回治療が続けて必要な場合には、静脈留置カテーテル（Wルーメンカテーテル）が使用されます。慢性透析患者さんのシャント（動脈と静脈をつなぎ合わせた血管）とは大きく異なるため、どのような管理をしているか、意識して見学しましょう。
患者観察と治療記録の確認	治療法によって治療中の監視項目や治療記録の記載項目、記載形式が異なるほか、施設によっても異なります。治療中の患者観察のポイントや、どのように監視項目を記載しているか、またその項目が患者さんによってどう変化して、臨床工学技士はどう対応しているかなど、患者さんがいる臨床実習でしか学べないポイントがたくさんあります。
医師の指示に対する臨床工学技士の対応	急性血液浄化療法は、治療することが決まっている慢性透析とは異なり緊急で行うため、その都度医師から依頼がきます。治療材料および薬剤の使用、運転、監視条件に関する医師からの指示に対して、どのように対応しているか見学してください。血液浄化療法における臨床工学技士の業務の重要性が確認できるでしょう。

5. メモとレポート提出

(7) 手術関連実習

手術室に関連する臨床工学技士業務も非常に増加しています。ここでは他項で解説する人工心肺手術、鏡視下手術以外の項目について説明します。

❶ 事前に習熟しておくべき項目

手術室で使用される医療機器	一般的に、手術室では表 5-3 に示す医療機器が汎用されています。とくに生命維持管理装置である麻酔器では、使用する材料の準備（回路構成、周辺機器、内部構造の特徴など）、組立て、運転・監視条件の設定、監視項目、点検項目、機器の消毒および回路の廃棄などについて調べられる範囲で調べておきましょう。 表 5-3　臨床工学技士が管理する手術室の医療機器 1　麻酔器　　　　　　6　間欠的空気圧迫装置 2　電気メス　　　　　8　パルスオキシメータ 3　レーザーメス　　　9　カプノメータ 4　除細動器　　　　　10　心電計 5　超音波治療装置　　11　血圧計
脳外科手術に使用される医療機器と臨床工学技士の関わり	病変部の周囲を立体的に表示するナビゲーションシステムが使用され、臨床工学技士の関わりが期待されています。また、手術用顕微鏡の術前準備やトラブル対応も求められるため、脳外科手術に入る施設に実習に行く場合は事前に調査が必要でしょう。
眼科手術に使用される機器	眼科領域の手術でも各種レーザ治療器や超音波吸引装置などの管理のために、臨床工学技士が立ち会う施設が増加しています。もし眼科手術に入る場合は、その施設が管理している機器について調べておきましょう。

❷ 教科書にはない臨床実習ならではの学習項目〔手術関連実習〕

手術室における機器管理	手術室にある医療機器やその管理方法は施設によってさまざまです。どのような機器に対して、どのタイミングでどんな点検をしているのか学んできましょう。患者さんの治療に関わる行為は臨床実習ではできないものが多いですが、点検は実施させてもらえるものが多いです。

(つづく)

手術に関連する医師の指示	使用する手術関連機器および併用する生命維持管理装置の操作に必要な治療材料や薬剤、運転・監視条件について、医師からの指示に対してどのように対応しているか確認してきましょう。
他のスタッフとの連携	手術室業務においては外科医や看護師など多くのスタッフと連携を取ります。実際に手術室でどのような連携を取っているかを意識して見学してきましょう。
術者（医師）の介助業務	改正医療法では、手術における術者の直接介助（器具の受け渡しなど）に関する項目も追加されています。手術室見学では介助者の業務についても確認してきましょう。
清潔操作の意識	滅菌された使用物品の管理、術者の手洗いやガウンテクニック、手術室での標準予防策など、これらが実際にどのようにされているか、また施設によっての考え方の違いなど感染管理の実践について学んできましょう。

(8) 鏡視下手術における視野確保関連実習

❶ 事前に習熟しておくべき項目

鏡視下手術の適応	改正医療法では、鏡視下手術におけるカメラ保持（視野確保）も新たに臨床工学技士の業務となりました。どのような疾患に対して適応となるかを事前に確認しておきましょう。
内視鏡システムの構成	臨床業務として拡大している分野のため、使用する機器や機材の役割や特徴について事前に調べておきましょう。
内視鏡システムの点検	カメラ保持のみならず、内視鏡システムの点検も重要な業務の一つです。とくに手術前の使用前点検（日常点検）項目についても確認が必要です。
鏡視下手術で併用する機器	鏡視下手術の際は、内視鏡システムのほか電気メス、レーザメス、超音波凝固切開装置、ベッセルシーリング装置、自動吻合器などを併用するため、それぞれの用途についても事前に調べておくとよいでしょう。

❷ 教科書にはない臨床実習ならではの学習項目
〔鏡視下手術における視野確保関連実習〕

実際の手術の流れ	鏡視下手術では手術の開始序盤から多くの医療機器を併用します。手術の流れや、使用する内視鏡手術システムに関連する医師の指示、準備、セッティング、手術中の運転条件の設定および変更、監視項目などについて実際の症例を見学する際に確認してきましょう。
視野確保のための内視鏡用ビデオカメラの保持・操作	改正医療法で追加された項目のため、まだ臨床工学技士が行っている施設は少ないかもしれませんが、これから確実に増えていく業務です。臨床現場で見学の機会があれば担当している職種にかかわらずとくに注目して学んできてください。
内視鏡システムの点検	点検方法は機種や施設によっても異なる場合があります。教科書との違いを確認し、点検項目ごとの意図や実施方法について学ばせてもらいましょう。
内視鏡システムの消毒および片付け	カメラを体内に挿入するため、精密機器ですが高水準の消毒が必要となります。手術終了後の片付けや消毒方法について見学させてもらうとよいです。

(9) 心・血管カテーテル治療関連実習
❶ 事前に習熟しておくべき項目

各検査項目の正常値、正常波形、正常画像	とくに、冠動脈造影については十分に自己学習が必要です。冠動脈を多方向から撮像するうえに病変があると基本画像と大きく異なることもあるため、その場で理解することは不可能です。わからなければ「ただ立っているだけ……」にもなりかねませんので、冠動脈の解剖や正常な冠動脈の造影画像の習得は必須です。
心臓カテーテル検査の手順	一言で心臓カテーテル検査の手順といっても複数個所の圧測定や圧格差の確認、心拍出量測定、心係数測定、心内や大血管および冠動脈の造影などさまざまな検査を一連の流れの中で行っていきます。まったくついていけず立っているだけにならないよう、まずは手順を理解しましょう。

(つづく)

通常の検査・治療で使用する一般的な使用機材	X線透視装置やポリグラフなどの大型機器だけではなく、圧トランスデューサやスワンガンツカテーテル、造影カテーテル、インデフレータなど多くの機材を使用します。使用機材の種類やそれぞれの役割について十分習熟しておきましょう。
造影以外の冠動脈評価デバイス	冠動脈造影は非常に有用な検査ですが、平面画像（二次元）のため、狭窄部の性状や実血流までは評価できません。そこで現在はIVUS（血管内超音波法）、OCT（光干渉断層法）、FFR（冠筋血流予備比）などさまざまなデバイスを用いて多面的、多角的に冠動脈を評価して適した治療を選択します。それぞれの機器の役割や特性は理解しておきましょう。
心血管インターベンション治療用デバイスの種類	以前主流であったPOBA（バルーンによる冠動脈拡張術）に加え、BMS（ベアメタルステント）、DES（薬剤溶出性ステント）、ロータブレータなど多種多様に広がりをみせています。デバイスごとの原理や特徴を理解しておくと、検査と治療をつなげて理解することができます。
心血管インターベンション治療に使用する薬剤	おもに虚血性心疾患に対する治療薬剤のほか、検査に使用する試薬や合併症を発症した際に使用する薬剤などについても事前に調べておきましょう。
カテーテルアブレーション	頻脈性不整脈の治療法にカテーテルアブレーションがあります。改正医療法でアブレーションに使用する機器操作が新たに臨床工学技士の業務となりました。アブレーションを行っている施設で実習する場合は、アブレーションに関する項目（薬物療法、診断方法、治療に使用する機器、治療中の監視条件、機器の消毒および物品の廃棄など）について事前に調べておくとよいでしょう。

❷ 教科書にはない臨床実習ならではの学習項目
〔心・血管カテーテル治療関連実習〕

患者入室から退室までの患者対応	心臓カテーテル検査室では、手術室と異なり全身麻酔をかけないため、意識のある患者さんに検査や治療を行います。手技を進めるうえで医療スタッフが実践している患者さん対応を勉強してきましょう。

心血管インターベンション治療に関する臨床工学技士業務	心血管インターベンション（心筋梗塞や虚血性心疾患の治療法の一つ）に関する臨床工学技士業務は、施設によっても異なりますが非常に多岐にわたります。関連機器・機材の組立て、運転条件の設定、監視機器を用いた患者観察、使用した機材の消毒や廃棄など、実際に治療を行う臨床現場でしか確認できない項目も多いため、心血管インターベンションに関わる臨床工学技士業務の幅の広さを実感してきてください。
冠動脈造影やIVUSなどの画像から病態の評価方法	現在は造影画像などを多く掲載したテキストもありますが、リアルタイムで動画として撮像しているため、動きのある映像から病態を判断する技術は臨床現場で数多く経験することが重要です。
検査や治療に用いられるデバイス	心臓カテーテル検査やインターベンション治療には多くの機器やディスポーザブル製品が使われます。学校では見ることができないものも多く、実際にどんな機器や医用材料がどんな使われ方をしているか意識して見学してきましょう。
カテーテルアブレーション	アブレーションに関する臨床工学技士業務は施設によっても差があります。また、教育用の機器やシミュレータなども普及しておらず、実践的な事前学習が難しい分野です。もし見学のチャンスがあれば、どのような機器を用いて治療しているか、臨床工学技士がどのように関わっているか勉強させてもらいましょう。

（10）静脈路確保関連行為関連実習

　静脈路確保も改正医療法で追加された項目ですが、手術室での生命維持管理装置を使用して行う治療における当該装置の操作に限られるなどの条件があります。手術室実習では見学することもあるため、以下の点について確認しましょう。

❶ 事前に習熟しておくべき項目

血管の解剖	安全な静脈路確保には血管の構造や特徴を熟知する必要があります。上肢の静脈の解剖や穿刺部位の特徴などを事前に調べておくと、見学でより知識を深めることができます。

（つづく）

薬剤の確認	生命維持管理装置使用患者にシリンジポンプ、輸液ポンプで投与する可能性のある薬剤について、調べられる範囲で調べておくとよいでしょう。

❷ 教科書にはない臨床実習ならではの学習項目
〔静脈路確保関連行為関連実習〕

静脈路の穿刺時および抜針・止血時の注意点	穿刺時の清潔操作や抜針・止血を見学する際は、臨床工学技士がどのようなことに注意して実践しているかを意識して見学させてもらいましょう。

(11) 保守点検関連実習
❶ 事前に習熟しておくべき項目

医療機器の日常点検	臨床工学技士はさまざまな医療機器において、使用前に機器の安全動作を確かめる始業点検、使用中に正常動作していることを確かめる使用中点検、使用後に異常が起きてないかを確かめる終業点検を実施しています。シリンジポンプや輸液ポンプは臨床実習中に点検の実技を求められる可能性が高く、どのような項目に対してどんな点検を実施しているか事前に調べておくと実習で理解しやすくなります。
医療機器の定期点検	機器の性能が正常か異常かを判断する日常点検と異なり、定期点検では機器の性能を維持するための詳細点検や消耗品交換も含まれます。シリンジポンプや輸液ポンプのほか人工呼吸器や透析用コンソールなど、設備台数の多い機器は臨床実習で実技を求められるため、一般的にどのような点検項目があるか事前に調べておくとよいでしょう。
電気的安全性点検	漏れ電流測定や接地線の抵抗測定などの電気的安全性を確認する点検は実践する可能性が高いため、点検方法や許容値などを十分調べておくとよいです。
病院電気設備の安全基準	電撃事故の防止やトラブル発生時の電源確保のためには、保護接地設備や等電位接地（EPRシステム）、非接地配線方式、非常電源

5. メモとレポート提出

	などの設備側の安全対策も必要です。臨床実習で見学する機会は多いと思いますので、そのようなものがあるかぜひ覚えていきましょう。
医療ガス設備の安全基準	医療ガス設備にはガスの供給停止、誤接続、火災事故などのトラブルを防ぐため、さまざまな安全対策が施されており、事前に十分習熟を深めておく必要があります。
滅菌、消毒などの感染対策	医療機器の消毒や清拭、医用材料の滅菌業務も臨床実習で見学、実施する場合があります。消毒方法や滅菌方法の種類と、それぞれの用途などを調べて、いつでも確認できるようにしておくとよいです。

❷ 教科書にはない臨床実習ならではの学習項目〔保守点検関連実習〕

保守管理業務の実際	日常点検や定期点検、トラブル対応、修理など、臨床工学技士の保守管理業務は多岐にわたります。臨床実習を通して保守管理業務の実際について学んできましょう。また、医療施設では添付文書や操作マニュアルも機器ごとに整備されています。それらの管理方法についても見学させてもらうとよいでしょう。
病院電気設備、医療ガス設備の実際	教科書で原理は勉強できても設備している養成校は少なく、実際に病院の電気設備や医療ガス設備がどのようなものなのかを目で見る機会は臨床実習しかありません。見学が可能であればぜひ見せていただきましょう。
医療機器管理システムによる中央管理	大規模施設では、それぞれの医療機器の詳細情報や貸し出し返却などの状況、点検修理の記録などを一元管理する医療機器管理システムを導入している場合があります。もし臨床実習先で導入されていた場合は、どのように管理されているか学ばせてもらうとよいでしょう。
滅菌、消毒の実際	医療機器の清拭や消毒のみならず、再利用する器具は院内感染防止の役割も担う病院内の中央材料室で滅菌処理が行われます。教科書で勉強する滅菌や消毒方法は多種多様であり非常に覚えにくい分野でもあるので、見学できればさらに理解を深めることができます。

2　メモはなぜとるの？

　人間は忘れる生き物であり、記憶に頼ろうとすることは非常に危険です。一度習得したことでも、復習しなければ1時間で半分以上の知識が失われるといわれています（図5-1）。
　しかも、実習中に教わったことはいつ実践するときがくるかわからないので、つねに対応できるようにしておく必要があります。

教わったことを覚えるためには復習（反復）が必要です。

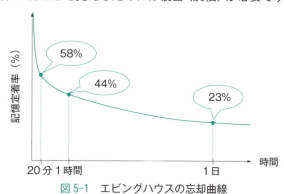

図5-1　エビングハウスの忘却曲線

《反復しようと思ったとき、授業と臨床実習では異なる》

授業
・教科書　　・板書用ノート
・配布プリント（スライド資料）など
↓
<u>反復のための材料が豊富</u>

臨床実習
？？？？
↓
メモが重要

5. メモとレポート提出

3　メモのタイミングと書き方

(1) メモを書くうえでの心得「5箇条」

第1条：つねにメモ帳を持ち歩き、とにかくメモをとる

- 講義の時間が決まっている授業と異なり、臨床実習中はいつ先輩から教えてもらえるか不明なので、メモ帳はつねに持ち歩く。また、実習施設の特徴や業務の手順など家では調べられないことも多く、目の前で起こっていることすべてをメモするつもりで臨むこと。

第2条：実習指導者が説明をはじめたらすぐにメモをとる準備をする

- 実習指導者は教わるときの姿勢もみている。
- 実習指導者は忙しい仕事の合間に教えてくれます。実習指導者が説明しているときは、すぐにメモ帳を出して、聞き漏らさないようにしましょう。

第3条：質問とメモのタイミングに気をつける

- 施設の特徴、業務の手順やポイント、実習指導者の説明など、目の前で起こっていることすべてをメモするつもりで書き、後からどこに何を書いたか、整理しよう。質問したいことが出てきたときは実習指導者の状況を確認して、迷惑にならないタイミングで質問しよう。

第4条：一度説明してくれたことは二度と聞けないつもりで臨むこと

- 臨床実習で一度教わったことを何度も聞き直したり、同じ失敗を繰り返してしまうことは、やる気がないとみなされてもおかしくありません。書き逃したり、質問があれば必ずその場で解決しましょう。手技の説明であれば、そのあと自分でできるくらい（自分用のマニュアルをつくるつもりで）、必要な情報を整理しよう。

第5条：自分が人に教えるときのことを想像しよう

- 自分が教える側になったときを想像してみよう。自分が不快に思うことは人も不快です。人の意見を聞くとき、質問をするときの態度、メモをとるときの態度や姿勢にも気をつけよう。

(2) 実習メモの裏技

実習中は授業と違ってゆっくり書く時間も書きやすい机もないため、立ったままの書きにくい状況で、実習指導者が教えてくれた内容（説明、手技）を、わかりやすく、見やすくまとめなければいけません。一語一句メモしたい気持ちになりますが、それは無理です。限られた時間と環境の中で、効果的なメモを取るにはいくつかのコツ（裏技）があります。ここでの"見やすさ"とは字のきれいさではありません（自分は字が汚いから、と悲観しなくて大丈夫）。あくまでも、あとから見たときに「どこに何が書いてあるかが明確にわかること」が「見やすい」ということです。

裏技 ❶：矢印や吹き出しなどを使い「イメージ」を組み込む

たとえば「透析の拡散」について説明してもらったことを想像して、図 5-2 をみてください。文章のみで書いた場合は左図のようになります。それに対して矢印や吹き出しなどを組み込んだ右図では、情報の秩序が生まれるので、後から見ても内容をイメージしやすくなります。

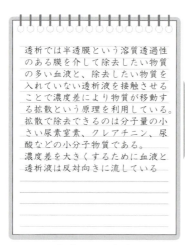
文章のみで記入

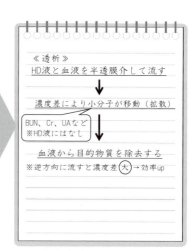
矢印や吹き出しの活用

図 5-2　文章と矢印、吹き出しを組み込んだ比較

5. メモとレポート提出

　　　文章のみで記入　　　　　図、記号、ひらがなどを駆使

図 5-3　文章と図、記号、ひらがななどを活用した比較

裏技 ❷：言葉にして長いものは図や記号などをうまく使う

　裏技❶と同じく透析の拡散について説明されたときのメモを例にすると、図 5-3 に示すとおり、図や記号、ひらがななどを駆使した右図は、書く時間が半分以下になり、後から見てもわかりやすくなります。

裏技 ❸：詳細な内容を書く前に「見出し（タイトル）」をつける

　タイトルをつけずに文章だけ書いても、後から見たときに何のことを書いているのかわからず、活用できません。タイトルをつけて、すぐに探せるようにしておくことが大事です。よく使うページには付箋などで開きやすくしておくとよいでしょう（図 5-4）。

裏技 ❹：手技の流れは順をつけ時系列がわかるようにする

　実習指導者から実技の説明を受けたときに書いた自分のメモは、あとで実技をするときに唯一の頼みの綱となります。実技や手順をメモするときは、実践するときの「順番」がわかるようしておくことでミス防止につながります。

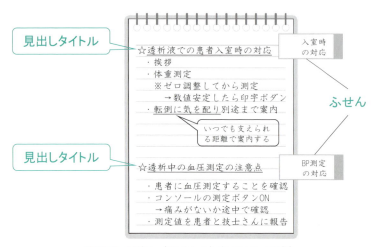

図5-4　見出し（タイトル）をつけたメモ例

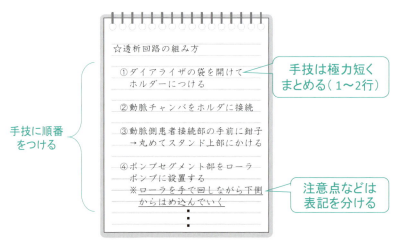

図5-5　手技の流れに順をつけて時系列がわかるようにしたメモ例

　また、手技は長い文章にはせず、なるべく短くまとめましょう。追加説明や注意点などは、追加説明であることがわかるように「※」などの記号を利用して別に表記しましょう（図5-5）。

5. メモとレポート提出

図 5-6　メモ帳のチェックリスト例

裏技 ❺：チェック項目を記載しチェックリストとして活用する

回路組やプライミングなど、学生であっても手技を実施させていただくことがあります。うっかりミスを防止するためにも、メモ帳にチェック項目を記載したチェックリストを用意しておきましょう。手技が終わった後に、メモ帳を見ながら確認することで、ミスをなくすことができます（図5-6）。

裏技 ❻：その場で記録用のメモ帳と、後で清書するメモ帳に分ける

書く時間がない場合は、字が汚くても、まとまりがなくてもよいので、とにかく情報量を多くすることが重要です。そのため時間がないときは下書き用のメモ帳に記載し、その日の記憶があるうちに、裏技❸のポイントを考慮しながら清書用のメモ帳へ整理しましょう。その際、情報に順位をつけ、重要なものとそうでないものを分けるとよりよいです。

裏技 ❼：小さな付け足しが後で大きな理解を生む

メモをする瞬間は、そのとき見聞きした内容のため、最も理解した状態です。そのため、その瞬間に理解できるぎりぎりの内容だけを書いていたら、一定時間経った忘れかけたころに見直すと思い出せないことが

あります。メモするときは、後から見る自分を想像して（その場にいなかった人が見てもわかるように）、理解の助けになる要点や、注意点などをつけたしておくことが、「わかるメモ」を書くポイントです。

裏技 ❽：その日の実習レポートの構成を考えておく

臨床実習中は、見学主体の時間や休憩時間など、学生の自由度の高い時間も存在します。もちろんほかに勉強すべきことがあるときはそちらを優先すべきですが、時間があるときに、その日の実習レポートの構成を考えておくと有意義に時間を使うことができます（図5-7）。

もし、家に帰ってからレポートの構成を考えた場合、時間がかかるうえに調べきれないことは書けないため内容も希薄になりやすいです（その施設特有の手技などは家で調べる手段がありません）。一方、実習時間内に構成ができていれば、メモに不足していることは実習担当者に積極的に質問することができるので、内容が薄くなることはありません。

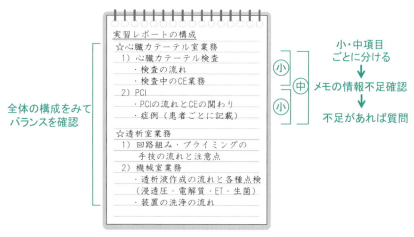

図5-7　実習レポートの構成に関するメモ

（3）失敗しないメモ帳選び

裏技❻に記したように、とにかくその場でなんでも記入するための①下書き用メモ帳と、ポイントを考慮しながらまとめる②清書用のメ

5. メモとレポート提出

モ帳を使い分けると、レポート作成の際にも役立ちます。もちろん下書き用のメモをもとに直接レポートを作成する人もいると思いますので、必ずしも清書用のメモ帳を用意する必要はありませんが、メモ帳を駆使して自分の理解に役立てましょう。

1) 下書き用メモ帳の必要な条件
   ・ポケットサイズで持ち歩きやすい（A6判サイズ程度）
   ・開きやすく、立位の実習中でも書きやすいこと
   ・推奨タイプ：リング式（縦型）

リング式（縦型）
→裏表変わらず書きやすい。

リング式（横型）
→横側にリングがあると利き手が当たる。リング付近は書きにくい。

バインダー式
→開きにくくリングに手が当たる。

ノート式
→開け閉めが多いと根元が破れ外れる。

2) 清書用メモ帳の必要な条件
   ・ポケットサイズで持ち歩きやすい（A6判サイズ程度）
   ・後から整理するときに順序を変更できる
   ・大きなカテゴリーに分けて整理できる
   ・推奨タイプ：バインダー式

  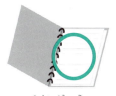

リング式（縦型）
→順番変更不可。

リング式（横型）
→順番変更不可。リング付近は書きにくい。

バインダー式
→清書は机上でできるため、外して書けば邪魔にはならない。あとから順番を変えることができる。

ノート式
→開け閉めが多いと根元が破れ外れる。順番変更不可。

4　紛失はインシデント・アクシデントにつながる

　メモには臨床実習で知り得た多くの「個人情報」が記載されることがあります。そもそも「個人情報」とはどのようなものでしょうか。個人情報保護法の第 2 条第 1 項には「個人情報」について、次のように示されています。

　「当該情報に含まれる氏名、生年月日その他の記述など（文書、図画もしくは電磁的記録）により特定の個人を識別することができるもの」

　さらに、平成 27（2015）年 9 月には特定の個人の身体的特徴を表すデータや、人種、信条、病歴等も含まれることになり、企業に対してより個人情報の管理を徹底するよう「改正個人情報保護法」も公布されました。

　つまり、臨床実習中のメモであっても患者さんを特定できる重要な個人情報が記載されていることを意識し、情報の漏えいを防ぐためメモ帳の取り扱いについて日頃から十分に気を配る必要があります。

　万が一、情報漏えいにより患者さんに不利益をもたらしたときは、インシデントやアクシデントなどの医療事故に等しい扱いを受けることがあるため、とくに以下の事項には注意をしましょう。

● 臨床実習中のメモ帳の取り扱い
① 氏名、年齢、生年月日など個人が特定される情報を簡単にメモ帳への記載をしない
　　例）　・　山田太郎　⇒　Y さん
　　　　・　78 歳　⇒　70 代
② 実習のメモ帳を、家族や友人に対して意識せず見せたりしない
③ 公共の場（コンビニ）などでコピーをしない
④ 紛失には十分注意し、必要以上に持ち歩かず、使用した後は必ず

5. メモとレポート提出

確認する

　これから医療従事者を目指すみなさんにとって、上記の事項は患者さんのみならず自分を守ることにもつながることです。つねに意識しておかなければいけません。

　　　　　＊第3章 7 項「知り得た情報は秘密です」も参考にしてください。

5 実習レポートとは

　臨床工学技士の臨床実習では、その実習内容をレポート（または日誌）として提出させることが一般的です。では、なぜ実習レポートの提出が必要なのでしょうか。まずは実習レポートの意義について考えてみたいと思います。

　臨床実習の実習レポートを見れば、学生個々の「知識」「能力」「努力」「やる気」「性格」まで評価できます。また、学生が臨床実習で受けた教えを正しく理解しているのかを確認する手段の一つでもあります。
　臨床工学技士養成校の臨床実習では、実習中の指導を当該施設の臨床工学技士が担当するというのがほとんどです。また、その担当してくれる臨床工学技士は、担当する業務のほかに自分の時間を割いて教えてくれているということも少なくありません。たとえば、学生が臨床実習にきている期間は「実習担当」として1人が抜け、残ったメンバーで実習担当者分の業務を分担したり、自分の休憩時間や勤務時間以降に残って学生を指導することもあります。
　こういった医療施設の臨床実習では、学ぶ姿勢や、学んだことでの成長をみせることが、教えてくれた実習担当者に対して唯一できる「恩返し」につながります。「臨床実習先の指導者は、教えてくれることが当たり前」などと考えず、相手も1人の人間であり、誠意をもって学ぶことでさらに大きな教えを与えてもらえるようになることを意識しなければいけません。
　では、どうやって学ぶ姿勢や成長した姿をみせればよいのでしょうか？　方法はいくつかありますが、そのための重要な方法の一つが実習レポートです。書いている内容の深さで学生がもっている知識がわかります。まとめ方や表現の仕方で学生の人間性や能力も評価できます。書

いている分量や丁寧さでやる気や実習に向かう姿勢も確認できます。実習担当者が教えたもの以上を理解してくれる学生には「もっと経験させてあげたい」「もっと教えてあげたい」と思うものです。

　また、実習担当者が日替わりになるケースもあり、自分がほとんど関わっていなかった学生の指導をする際、実習の進度や理解度を把握するために実習レポートが手がかりとなることもあります。

　しかし、初めて訪れた施設で、初めて会うスタッフと患者さんを前にして、初めての実践となる臨床実習は、1日立っているだけでも体力と精神力を使うことになります。そのため、家に帰ってから翌日の実習に必要な調べものや宿題のほかに、高い評価を受ける実習レポートを作成することは並大抵のことではありません。そこで、次項では少しでも評価をしやすい実習レポートを、効率よく書くためのコツについて記します。

6　実習レポートの標準的な書き方

　学生にとって最も難しい部分は、実習施設や実習指導者によって提出物に求める内容が異なる場合がある点です。こればかりは統一が難しいため、作成前に提出する担当者に対して、具体的にどのような形式で記載するとよいか確認しておくとよいでしょう。
　なお、確認する際は抽象的な聞き方ではなく、自分が想定している書き方を具体的に伝えて、丁寧に確認しましょう。
　　例）×　抽象的　「どう書けばいいですか？」
　　　　○　具体的　「○○について△△を調べて××の形で書いてよろしいでしょうか？」

● **実習レポートの形式：レポート（個別宿題を除く）に必要な情報**
　養成校ごとにレポートの様式がある場合にはそれに従ってください。もし特別な様式がない場合は、以下のポイントに気をつけて作成しましょう。

1）**タイトル**：最上段に実習日誌であることを示す記載をしましょう。
2）**氏　名**：見やすいところに誰が書いたものであるか氏名を記載しましょう。養成校によっては、学校名や学科名が必要になることがありますので確認が必要です。
3）**日　時**
4）**実習施設名**：実習させていただいた施設名を正式名称で記載しましょう。
5）**実習目標**：目標は基本的に事前に記載すべき項目となります。可能であれば前日の実習終了時に翌日の実習内容について確認し、予習をするのと同時に翌日の実習は何を目標とするか明確にして記載しておきましょう。医療施設によってはその日の実習目標の

みを記載した実習レポートを、朝の実習開始時に提出する場合もあります。

6）**タイムスケジュール**：必ずしもその日の実習指導者がレポートを評価してくれるとは限りません。実習レポートは役職者が確認するということも少なくありません。そのため、誰が読んでもその日の実習内容がわかるように、作成するよう心がけてください。その場合、実習概要を時系列にして、以下のいずれかの方法で記載しましょう。

- まとめて最初にその日の実習スケジュールを記載する。
- 実習レポート内容を時系列にタイトル分けして、それぞれの項目ごとに深めて記載する。

7）**実習内容**：ここが実習レポートの主軸です。その日の実習の中で習得したこと、経験したことをできる限り深めたうえで、自分ではない第三者が読むことを意識して、わかりやすく、見やすくまとめる必要があります。

　また、前述のように、評価する実習指導者によってレポートに求める内容が変わる場合があります。もちろんその都度確認することも重要ですが、誰がその日のレポートを評価するか不明な場合もあります。そこで、筆者が十数年に及ぶ医療施設の実習担当者や、実習を経験した学生との対話の中で感じたことから、多くの施設の実習指導者が評価してくれやすい実習レポートの「日本医療大学式メソッド」を紹介したいと思います。

● 「日本医療大学式メソッド」

メソッド1：**タイトルをつけて細かく分ける**

　図5-8（左）のように長い文章で書いてしまうと、すべて細かく読み込まなければ書いてある内容を評価できません。また、長いほど文章としては難しくなるため、日本語に関するミスの指摘もよく受けることがあります。そうなると、どんなに深い内容を書いても最後まで読まれません。とくに教科書で調べたところはそのまま書きたくなりますが、コ

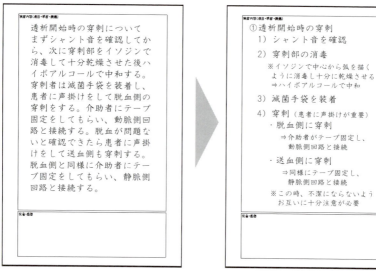

図 5-8　タイトルをつけて細かく分けたレポート

ピペをすれば文体がそれまでと変わるため、転記したことがわかってしまいます。時間がない実習指導者は教科書を読みたいわけではないのです。

　一方、同じ内容でも図 5-8（右）のようにタイトル番号をつけて、大・中・小の項目分けをすれば、実習指導者はパッと見ただけでどこに何が書いてあるか判別できますし、内容が深ければその分評価がしやすくなります。短時間で見やすくまとめる力を身につけましょう。

　メソット 2：意味を持たせた色をつける

　文章や図にも意味のある配色を加えれば、読まなくてもイメージがはいってくるため、とても確認しやすくなります（図 5-9）。確認しやすいということはまとめ方が上手いととらえられるため、その分評価もされやすくなります。

　意味のある配色

　　　動脈系のもの　⇒　赤　　　　　静脈系のもの　⇒　青

5. メモとレポート提出

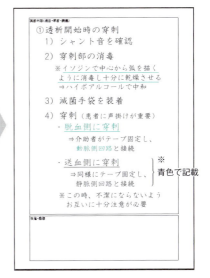

図 5-9　配色を加えたレポート

| 酸　素 | ⇒ | 緑 | 　 | 重要、危険 | ⇒ | 赤 |
| 注意、喚起 | ⇒ | 黄色 | 　 | 安　全 | ⇒ | 緑 |

など

メソッド3：記載内容に合わせてスペースを分ける

ここが「日本医療大学式メソッド」の一番の要点です。前述のとおり、パッと見てどこに何が書いてあるかわかるようにすることや、評価者によって学生に書いてほしいと考える内容が変わるため、実習指導者が求める様式に合わせることが重要となります。

たとえば「実習した内容」や「家で勉強したこと」を書いてほしいと考える指導者もいれば、「その現場を見てどう感じたか」や「実習の感想」を書いてほしいと考える指導者もいます。そこで三つ目のポイントとしては、上記の点に少しでも対応できるようレポート用紙を左側（7割）と右側（3割）に分けて、以下①〜④の形式で作成することを推奨します（図5-10）。

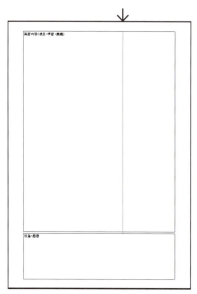

図 5-10　レポート用紙を 7：3 に分ける

① 左側（7 割）と右側（3 割）の間に定規で直線を引く
② 実習の流れに合わせて大枠をつくる： いきなり書き始めずに、大〜中タイトルまでの記載順をあらかじめメモ帳などに記載しておくとよいでしょう（本章 3 項、裏技❽参照）。
③ 左側から記載を始める（図 5-11）： ②で決めた流れに合わせて左側に実習内容を記載します。さらに、教科書などで調べた内容なども左側に追加すると内容が厚くなります。また、文字や文章だけでなく、適宜説明に必要な図を記載するとより見やすくなります。なお、図を記載する場合は説明に必要な意味のある図とすることが重要です。
④ 右側に補足事項を追加する（図 5-12）： この項目が最も重要です。前述したように実習指導者によって記載してほしい内容が異なる場合があったとしても、この右側の欄をうまく活用することで幅広い指導者の要望に対応することが可能です。

左側には本線である実習内容や調べた知識などを加えてレポートに厚

図 5-11　実習内容のまとめや調査して深めた内容を左側に記載したレポート

みを出しています。そこで右側には、左側に書いている項目に関連した表 5-2 の内容を記載します。

表 5-2　右枠に記載すべき事項

1	自分が実感したこと	4	関連した論文やガイドライン
2	指導者に口頭で教わったこと	5	施設による手技の違い
3	＋αのポイント	6	自分なりの考えや疑問点

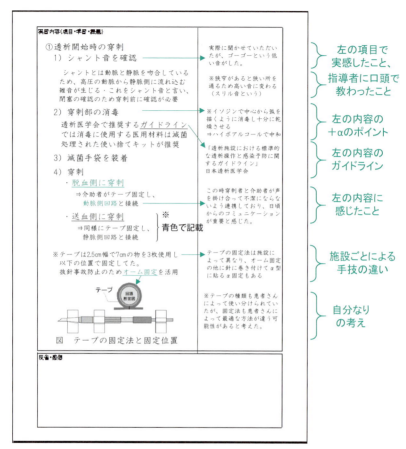

図 5-12 さまざまな要点を含む補足事項の追加

メソッド4：感　想

　最後に、「その日の実習の感想」を書いて終了になりますが、学生が実習でどう感じたかに興味をもたれる実習指導者は多いので、細かくチェックされます。実習させてもらった感謝と誠意を込め、とくに以下の点に気をつけて書きましょう。誠意が伝われば必ず自分にもプラスになって返ってきます。

① その日の実習で感じたことについて前向きに記載しましょう： 批判と受け取られる表現にならないよう十分注意してください。
② 単純な感想ではなく、何に対してどう感じたかを具体的に書きましょう： 医療現場であり、勉強にきている場であることを意識して「楽しかった」「面白かった」などの表現は避けましょう。
③ 教えてもらったことには、相手に感謝が伝わる表現にしましょう： 「○○のとき××していただき大変勉強になりました……」など
④ レポート用紙に感想を書く欄がある場合は、必ず最後まで埋めましょう： 実習指導者は自分が教えたことに対してどう思っているのか期待してレポートを確認しますので、1行程度の感想だと自分の誠意が学生に伝わらなかったと感じ、とても残念な気持ちになります。
⑤ 「です・ます調」で書きましょう： 実習内容をまとめるときは一般的に「だ・である調」が推奨されますが、感想は相手へのメッセージでもあるため、「です・ます調」を基調としましょう。

7 丁寧さはやっぱり必要

　繰り返しになりますが、実習レポートとは「提出物」であり、自分ではない第三者が見て、自分のことを評価するための材料となります。そのため、きれいで見やすいことが大前提であり、多くの実習生が普段よりさらにきれいになるよう心がけて書くため、汚いとそれだけでレポートを見る意欲が低下してしまうものです。

　字の上手さは突然上達するものではないため、字が下手だから評価が下がるのでは……、と不安になる方もいるかもしれません。しかし実際には字が下手なことと、きれいに書くことは別といっても過言ではありません。そこで重要なことが「丁寧さ」になります。

　ここでは実習レポートがきれいに見える、丁寧に書くコツについて説明したいと思います。

コツ1：文字の配列をそろえる

　当たり前に感じますが、レポート用紙に行と列の線が引かれていない場合、意識せずに書き進めると大きくずれることがあり、非常に見づらくなります。そのため、鉛筆で薄く直線を引いたり、レポート用紙の下にルーズリーフなど直線が描かれているものを敷いて書くことで、文字のバランスが良くなります。同じ内容で文字の配列がばらばらになった場合と、そろえた場合の見やすさの比較した事例を図5-13に示します。

コツ2：文字のサイズをそろえる

　これも枠線を意識せずに書き進めた場合に陥ることが多く、行ごとに文字のサイズが変わる場合や、下のほうで詰まってきたときに途中から突然字が小さくなってくるなど、全体で見てみると非常にバランスが悪く（汚く）感じます。

5. メモとレポート提出

悪い例　　　　　　　　　　　良い例

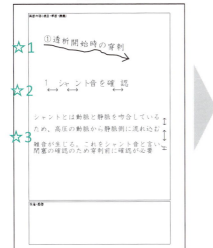

☆1：斜め下がり（上がり）　☆2：文字間隔不均一　☆3：行間不均一
図 5-13　文字の配列がそろっていないレポートとそろっているレポート

　もちろん全体的に文字サイズをそろえることが重要ですが、それ以上に戦略的に文字サイズを変えることで、1字1字が下手でも全体できれいに見せる方法があります。それが以下の三つの決まりを守る方法です（図 5-14）。

「文字の大きさがばらばらの場合」
閉塞の確認のため穿刺前に音を確認する

「すべて均等な大きさとした場合」
閉塞の確認のため穿刺前に音を確認する

「三つの決まりを守った場合」
閉塞の確認のため穿刺前に音を確認する

図 5-14　文字のサイズをそろえる

1. 漢字などの複雑な文字は、1行に対して8割程度のサイズで書く
2. 平仮名などの単純な文字は、1行に対して6割程度のサイズで書く
3. 文字の下部を枠の下線にそろえて、上部にはあえて凸凹を出す

コツ3：改行、句読点の使い方

適度な改行は必要ですが、多いほど文章が理解しづらくなります。また改行したら次の行の文頭は1字空けましょう。

稀に句読点をつけずに5～6行の文章を書き進める人もいますが、長い文章は理解ができないうえに主述の関係も怪しくなりますので、長くても2～3行で書ききれるように文脈ごとに句読点を活用しながら、短い文章をつなげていくイメージで書き進めましょう。

また、相手が見やすいことを意識して、単語の途中での改行や、行の1文字目に句読点「、」「。」や長音符「ー」がこないよう、できる限り文章の切れ目で改行しましょう。必ずしも行の右端の位置がぴったりそろう必要はありません。それよりも読んだときに見やすいほうが重要です。

コツ4：文体の使い分け

「です・ます調」や「だ・である調」が混在すると非常に読みづらくなりますので、目的に合わせて使い分けて統一することが重要です。文末を名詞で締める体言止めは使用せず、可能な限り「です・ます」や「だ・である」などの助動詞で締めくくりましょう。

推奨する文体の使い分け

「です・ます調」　感想、質問、自分の意見など
「だ・である調」　目標、実習内容など

Column 6　現場で働く臨床工学技士から

　臨床工学技士とは、生命維持管理装置の操作・保守点検を業とする医療専門職です。何をいまさら……、と思うかもしれませんが、そのときの自分にはその本当の意味がわかっていませんでした。

　とある外科医の「君に任せたよ」のひと言が、臨床工学技士としての意識転換のきっかけとなりました。技士5年目の私に、人工呼吸器を装着している患者さんの人工呼吸器からの離脱までの業務を任されたのです。それまでは、単純に医療機器の操作、保守点検ができれば、ほとんどの仕事はこなせるものだと思い込んでいましたが、それは浅はかな考えだとすぐに気づきました。それからは、患者さんの検査データなどの情報収集、ほかの医療スタッフとの情報共有、患者さんやその家族とのコミュニケーションなどを積極的に取るようにしました。また、担当の外科医からもアドバイスをいただきながら真剣に取り組み、離脱困難と思われた患者さんの人工呼吸器からの離脱に到達することができたのです。

　離脱後、患者さんから「お兄さんありがとう」と感謝の言葉をいただき、感極まって涙を流してしまったことはいまでも忘れられません。外来通院となってもつねに声をかけていただき、臨床工学技士の仕事は、患者さんを中心とした医療を提供するためにあるのだと痛感させられました。

　臨床実習では、さまざまな医療機器に触れ、現場で働く先輩である臨床工学技士から生の声を聴くことができるとともに、私たちが本来、関わるべき「患者さん」とじかに接することができる貴重な機会でもあります。この貴重な機会を大切にしてください。医療機器の向こうには必ず、患者さんがいます。私たちは、医療機器の操作・保守点検だけではなく、その医療機器を通して、つねに患者さんを見ています。目先の機器操作や点検ばかりに気を取られ「機器の操作ができる」「点検ができる」だけの"工学技士"ではなく、その先にある患者さん（臨床）を理解したうえで業務に取り組むことができる、本当の意味での"臨床工学技士"を目指してください。

　臨床工学技士をはじめすべての医療従事者は、患者さんのために医療に従事していることを忘れないでください。分野は違えども、その職種ごと、多方面から患者さんを見てより良い方向へ導くため、自助努力を忘れず実践できる臨床工学技士を目指してほしいと願っています。

金沢赤十字病院　医療技術部臨床工学技術課
臨床工学技士　岡　本　　　長

8　締め切りを守ることは大事

　実習レポートの締め切りは実習施設によって異なる場合があります。多くは"翌朝提出"か、または"その日の実習終了前の限られた時間で書いて提出"のどちらかになります。

(1) 翌朝提出の場合
　課題として家に持ち帰るため、「家に忘れてしまった」「疲れて寝てしまって書いてない」などの失敗をする人が必ず出てきます。そうなった場合のほとんどは実習指導者からの信頼を失い、未提出が続くと最悪実習停止につながることもあります。実際にあった事例を紹介しましょう。

> 　1日立ちっぱなしで疲れたため、仮眠を取ってから実習レポートを書こうと決めたA君。目覚ましに気づかずそのまま朝まで眠ってしまった。
> 　翌日の実習には行ったものの、レポートを書いていなくて怒られるのが嫌だったため、家に忘れたと嘘の報告をした。すると実習指導者から、家に帰って取ってくるように指示された。仕方なく家に帰って急いで書き上げるも、3時間程度経過してしまい、遅くなったことを問い詰められたことで嘘がばれてしまった。

　丁寧な実習レポートを書くことも重要ですが、提出期限を守ることはそれ以上に重要です。実習指導者には、遅れた理由や今後の対応、改善方法や取り組む姿勢を話し、約束を守れなかったことについてきちんと謝罪しましょう。自分を甘やかさないようにしましょう。

(2) 当日の実習時間内提出の場合

(1)項と異なり、書く時間が与えられているため未提出などのトラブルにはなりづらいでしょう。しかし、限られた時間では深い内容にしてまとめるということは非常に難しいです。

持てる知識とメモ帳に書いた内容だけでは高い評価をもらえるか不安があると思います。そのため臨床実習には必ず"教科書"や"自分でまとめた資料"を持参しましょう。それらの参考書を適宜調べながら内容を深めると良いでしょう。

さらに前節で説明したように、実習中の空いた時間を利用してメモ帳に構成をまとめておくだけで、あとは書き進めるだけとなります。

当日書く場合であっても期日（提出時間）を守ったうえで、評価に値する実習レポートを書けるよう一生懸命工夫をしましょう。

なお、学生が実習レポートを提出するまで実習指導者も帰らず待っていてくれる実習施設もありますが、かえって迷惑をかけることになってしまうことを忘れないでください。

9　引用・参考文献

　引用とは教科書や論文、Web 上に掲載されている、他者が提示した情報を借りることをいいます。実習レポートでは、教科書や論文、ガイドラインなどから引用して、"内容を深める"ためや"自分の考えを裏付ける"ために使用します。以下に引用するときの注意点を記します。

(1) 引用を骨組みにして構成しない
　実習レポートは、実習中に自分が勉強したことをまとめて指導者に確認してもらうためのものです。そのため骨組みはあくまでも実習した項目とすべきであり、その内容を深めるための肉づけとして教科書などを調べて関連事項を引用するべきです。何を書いていいかわからないときほど、教科書などの引用を骨組みに入れて分量を稼ぎたくなりますが、評価する実習指導者は学生が実習でどんなことを勉強して、どこがわからないのかを知り実習レポートを確認しますので、引用に頼りすぎないように気をつけましょう。また、教科書や Web からの引用が多いと丸写しと思われて評価してくれない場合もありますので注意が必要です。

(2) 他者が引用した情報を引用するのはなるべく避ける
　Web 上の情報に多いですが、原典（一次文献）ではない別の文献などから引用した表やグラフ、説明書きなどを実習レポートに引用する場合は注意が必要です。引用されている情報はあくまでも一部であるため、全体像がなく一部分だけを見ると勘違いが発生しやすいです。出典が明らかになっている場合はなるべく原典から引用しましょう。

(3) 出典の提示
　教科書に示されている情報のように一般的に正しいとされているもの

を示す場合には出典までの提示は必要ありません。しかし、論文からの引用などの新規性の高い情報や、ガイドラインなど特定の学会で提示されている情報は、その情報の出所を書いたほうがよい場合もあります。

　実習レポート内で、出典を提示する場合は内容を記載した後に「カッコ［　］」や「※」で内容とは別の表記であることを示したうえで、文字サイズを下げて、引用した文献のタイトル（論文誌の場合は雑誌名も追加）、発行年などを示すようにしましょう。

10　残念なレポート

　それでは、これまでの項で悪い例として提示してきた残念なレポートの特徴をまとめてみましょう。

　❶ 実習指導者に誠意が伝わらないレポート

　誠意が伝わるかどうかは確認する実習指導者によっても異なりますが、大きく分けて以下のような例があげられます。

- 目標や内容、感想などの区別がわかりにくい
- 目標が抽象的で、実習内容と一致していない
- 汚くて見にくい（きれいに書く工夫がされていない）
- 分量が少ない（特別な指定がなければレポート用紙2枚/日以上は必要）
- 内容が薄い（簡易的な内容しか書かれていない、大きな字でスカスカ）
- テキストやインターネットの丸写しやコピーペースト
- 実習指導者の期待する内容や様式に従っていない
- 感想の内容が薄い（具体性がない、分量が少ない）

　❷ 期限が守られなかったレポート

　期限に遅れないよう自宅では最優先でレポートを書き、家を出る際には忘れないよう必ず確認しましょう。また、実習時間中に書く場合もあるため、限られた時間で書き切る工夫が必要です。

　❸ 後から自分で見たいと感じないレポート

　実習施設によって手技や考え方が大きく異なる場合がありますが、一度就職してしまうと自分の施設でしか経験できません。そのため臨床実習で複数の施設にて勉強したことは、自分にとって非常に大きな財産となります。すべてを記憶しておくことは不可能であり、臨床実習で指導者から教えてもらったり、自分で調べた内容はいつか使う日がきます。

5. メモとレポート提出

そのためにも意味のある内容の実習レポートを目指しましょう。

● 誤りや間違った認識を指摘されたら

　人間は失敗から多くのことを学び成長します。臨床実習中のやむを得ない失敗は、学生だからこそ許されることもあります。それをばねに大きく成長してくれることを実習指導者は期待しています。

　実習レポートにおいても間違いを指摘されたということは、そこを正すことで成長するチャンスをもらえた瞬間ということになります。なかには、忙しい業務の合間を縫い時間をかけて実習レポートをチェックしてくれる指導者もいます。どんなに自分が一生懸命書いたとしても、ぜひ間違いを指摘してくれたことに対する感謝とともに、正しく認識をし直すよう学ぶ気持ちをもちましょう。

| 演習問題 | 丁寧な字を書くために |

《Step1》
　疲れて集中力がなかったり、急いで書こうとすると丁寧な字を書くことはできません。今の自分が書ける最大限に綺麗な字を書くためには、意識して丁寧に書くことが大事です。そのため、一度以下の「あいうえお表」をなぞってから、気持ちを落ち着けて実習レポートを記入しましょう。

あ	い	う	え	お
か	き	く	け	こ
さ	し	す	せ	そ
た	ち	つ	て	と
な	に	ぬ	ね	の
は	ひ	ふ	へ	ほ
ま	み	む	め	も
や		ゆ		よ
ら	り	る	れ	ろ
わ		を		ん

練習1

あ	い	う	え	お
か	き	く	け	こ
さ	し	す	せ	そ
た	ち	つ	て	と
な	に	ぬ	ね	の
は	ひ	ふ	へ	ほ
ま	み	む	め	も
や		ゆ		よ
ら	り	る	れ	ろ
わ		を		ん

練習2

5. メモとレポート提出

演習問題

《Step2》

本章の 7 項で示した三つの決まりを実践しよう。三つの決まりを守って以下の文章をなぞってみましょう。

① 漢字などの複雑な文字は、1行に対して8割程度のサイズで書く
② 平仮名などの単純な文字は、1行に対して6割程度のサイズで書く
③ 文字の下部を枠の下線にそろえて、上部にはあえて凸凹を出す

例題1

閉塞の確認のため穿刺前に音を確認する。

例題2

穿刺者は消毒をして滅菌手袋を装着する。

例題3

穿刺部の中心から弧を描くよう消毒する。

Chapter 6

実習を終えたら

1　実習指導者や患者さんに感謝の気持ちを伝える

　第5章でも記しましたが、臨床実習を受けていただいている施設の実習指導者は、日々の業務をしながら臨床実習に対応してくれています。そこに対する感謝の気持ちを忘れてはいけません。臨床実習最終日の終業時間には、指導者からは実習の終了が言い渡されると同時に忘れ物のないよう帰ってよいとの指示が出ます。その際にはそのまま帰らず、実習でお世話になった臨床工学技士や看護師のもとへ行き、できる限り一言ずつでも実習のお礼を伝えてから帰るようにしましょう。

　もちろん、業務中の場合は無理に行くことはできませんし、近くにいない方にまで無理やり探して言いに行くことは逆に迷惑な場合もあります。その場合は、終了を伝えてくれた実習指導者に他の方にもお礼を言いたい旨を相談するとよいでしょう。

　また、患者さんも同様に実技を経験させてくれた先生といっても過言ではありません。手術や検査などで一時的に関わった患者さんすべてに感謝を伝えるのは難しいですが、透析室の実習の場合は週に3回同じ患者さんと接しています。とくに実技や会話を経験させてくれた患者さんにも、最後にお会いするタイミングでお礼を伝えられればベターです。ただし、人数によっては全員にお礼を言って歩くと時間がかかり施設に迷惑になる場合もありますし、実習施設によって患者さんとの関わりの形態が大きく異なります。さらに、患者さんによってお礼を「言う人」「言わない人」を分ける場合、その線引きも非常に難しいものです。そのときどきの状況判断が重要になりますが、困った場合は最終日直前に養成校の教員に状況を伝えてどうすべきか確認しておくか、施設の実習担当者に、「できれば患者さんにもお礼を伝えたい」という旨を相談し、その指示に従いましょう。

6. 実習を終えたら

　感謝の気持ちを伝えることで実習指導にあたってくれた指導者の気持ちにお返しすることもできますし、次に同じ施設に実習に行く学生のことも快く引き受けてもらうための大事な礼儀となります。もちろん、お礼を伝えることでその実習生個人が社会人として常識的な行動ができることも示すことができます。

　教えてくれた実習指導者のためにも、そして何よりも協力してくれた患者さんのためにも、次に続く後輩のためにも、そして自分の成長のためにも、恥ずかしがらずにしっかりと感謝の気持ちを伝えましょう。

2 お礼状の書き方

　臨床実習終了時にお礼を伝えられた方もいれば、伝えきれなかった方もいるかと思います。お世話になった方みなさんに感謝の気持ちを伝える意味でも、臨床実習終了後には必ずお礼状を書きましょう。さらに、これから就職活動をしていくうえで何度もお礼状を書くことがあります（面接のお礼、内定のお礼など）。誠意の伝わる文章を書く訓練としても貴重な経験になります。

● いつ書けばいいの？

　お礼状を送るタイミングは養成校によっても異なりますので、担当の教員に確認するとよいでしょう。就職試験などの場合はとにかくすぐに送る必要がありますが、臨床実習の場合は同じ施設に実習に行く学生分をまとめて送るケースがほとんどです。

● お礼状のアウトライン

　縦書きか横書きかなど、とくに決まりはありませんので、学校で決まっている様式があればそれに従いましょう。指定やこだわりがなければ横書きのほうが書きやすいと思います。
　いうまでもありませんが丁寧さが要求されます。丁寧に書くコツとしては第5章 7 項に従ってください。ここではお礼状のアウトラインとそれぞれの項目ごとの書き方について紹介します。

❶ 宛　名

　まず、便箋の1行目に「実習先施設名」を記載します。宛名を個人にする場合は、改行して2行目に「指導者の所属部署」、3行目に「肩書」「氏名」を記載します。
　全体に送る場合は2行目の部署名の後に、全体宛であることがわかる

記載を加えるとよいです（例：「透析室のみなさま」「臨床工学部のみなさま」など）。

❷ 頭　語

頭語とは、手紙における挨拶（おはようございます、こんにちはなど）のようなものです。「拝啓」が一般的で、宛名のあと1行空けて左端に書きます。

❸ 時候のあいさつ

出会った知人に話しかける場合、あいさつの後すぐに本題に入る人はいないと思います。まずは当たりさわりのない日常会話をしてから徐々に深い話にもっていくほうが自然な会話の流れになります。

時候の挨拶とはまさに手紙の導入にあたる相手を気遣う文章を書くことです。簡略した言い方として「時下」という表現がよく使われますが、正式な言い方としては季節によって使い分けます。

- 春：早春の候、春寒の候、春暖の候、仲春の候、など
- 夏：初夏の候、深緑の候、盛夏の候、盛暑の候、晩夏の候、など
- 秋：秋涼の候、秋晴の候、秋麗の候、涼寒の候、初霜の候、など
- 冬：寒冷の候、初冬の候、初雪の候、厳冬の候、仲冬の候、など

❹ 安否のあいさつ

文章において相手の無事や健康を気遣う部分になります。時候のあいさつに続けて以下のように表記するのが一般的です。

「時下、貴院（のみなさま）におかれましてはますますご清祥のこととまことにお慶び申し上げます。」

なお、③④は会ったばかりの人には不要な場合もありますので、必ずしも必要とは限りません。

❺ 本　文

実習でお世話になったことに対して、心を込めたお礼を伝えましょう。短すぎても長すぎても気持ちが伝わらない場合があります。便箋1枚が埋まる程度を目安としましょう。文面に書く内容は以下のようなものが一般的です。

- 臨床実習でお世話になったお礼の言葉

- とくに感謝を感じた状況の具体例
- 臨床実習で勉強になったこと（臨床現場でのみ経験できること）
- 臨床実習を経験したことで変化したこと（考え方や業務に対する興味など）
- 現在の状況報告（国家試験に向けて努力していることなど）
- 実習指導者の気持ちに対して、これから臨床工学技士として働くうえでの決意
- 最後は再度お礼の言葉で締めくくる

❻ 末　文

以下のような文章を締めくくる言葉で本文を終えます。状況によって内容が異なりますので、可能であれば養成校の教員にも確認しましょう。

- 手紙ですませる許しを請う締め方
  「本来ならば、拝眉の上お礼を申し上げるべきところ、書面で失礼の段お許しください。」
- 相手の幸福を願う締め方
  「貴院の皆さまのますますのご発展をお祈り申し上げます。」
- 今後の付き合いや指導を請う締め方
  「今後ともよろしくご指導のほどお願い申し上げます。」

❼ 結　語

手紙における「さようなら」を示す言葉を最後に書きます。頭語に「拝啓」を用いた場合は「敬具」となります。

❽ 差出人

結語の後に一行空けて差出人について右詰で明記します。学校名、学科名、学年の順番で記載し、最後に氏名となります。連名の場合は1行に2名程度ずつに分けて記載しましょう。

● 例　文

①〜⑧を含めた例文を以下に示します。あくまでも一例ですので、養成校の教員に相談をしたうえで内容を十分に検討してください。

6. 実習を終えたら

```
┌─────────────────────────┐
│ ○○法人 ○○病院          │
│ ○○部                    │──── 宛名
│ ○○長  ○○ ○○ 様       │
└─────────────────────────┘

┌──────┐
│ 拝啓 │──────────────────── 頭語
└──────┘
　春暖の候、貴院の皆さまにおかれましてはますますご清祥のこと ┐
とお喜び申し上げます。                                        ├─ 時候・安否の挨拶
　先日の臨床実習では大変お世話になり誠にありがとうございまし ┐
た。特に手術室の実習では、初めて人工心肺を使用した手術を     ├─ お礼の言葉
見学させていただき、大変貴重な経験となりました。その中でME部 ┐
の皆さまが連携し、手術の遂行に努めていることを肌で感じ、自分 ├─ 感謝の具体例
も早く臨床工学技士として医療に従事したいと気持ちを改めました。┐
                                                              ├─ 経験による変化
　現在は国家試験に向けて日々勉強しておりますが、就職できた   ┐
暁には○○病院様で経験させていただいたことを活かして患者さま ├─ 現状報告と
のために尽力したいと考えております。                         │   これからの決意
　末筆ながらお礼のごあいさつとさせていただきます。本来ならば、┐
拝眉の上お礼を申し上げるべきところ、書面で失礼の段お許し     ├─ 締めのお礼と末文
ください。                                                   ┘

                                        ┌──────┐
                                        │ 敬具 │──── 結語
                                        └──────┘

                    ┌─────────────────────────┐
                    │ 学校法人 ○○学園 ○○学校 │──── 差出人
                    │ ○○学科 ○年 ○○ ○○     │
                    └─────────────────────────┘
```

図6-1　お礼状の書き方（例文）

● 封筒の書き方

　一番最初に目にする文字は宛名であることを意識して丁寧に書きましょう。縦書きに慣れていない人が多く、曲がりやすかったり、文字のバランスが悪くなりやすいので、下書きの前に鉛筆で定規を使って直線を引き、文字数分の文字配置を決めておくとよいでしょう。

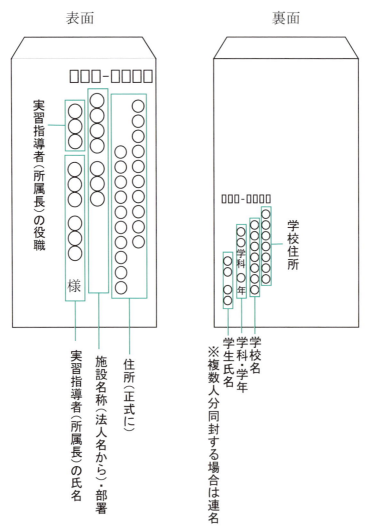

図 6-2 封筒の書き方（例文）

3 臨床実習は将来への階段

　臨床実習は、患者さんを目の前にした実践を経験・勉強するための場であると同時に、初めて1人の臨床工学技士の卵として臨床現場に自分を試しに行く場でもあります。

　また、みなさんは卒業すると、卒業した学校が母校であり、お世話になった教員が恩師となりますが、臨床実習でお世話になった施設は"第二の母校"であり、お世話になった実習指導者も恩師といって過言ではありません。実際に臨床実習で良かった学生を求人が出たときに声をかけることもあれば、求人に応募してきた学生の臨床実習先での実習評価を確認する、さらには成績表の臨床実習評価を重視されるなど、就職試験に大きな影響を与える場合があります。

　就職試験は、これから40年近くの期間、毎日一緒に働く仲間を探す試験です。探す側の人事担当者は、自分の施設に合わない人材を引き入れたときには互いに不幸になることを知っているので、選ぶときも必死になるものです。

　もちろん臨床実習で実力以上の力を突然発揮することは難しいでしょう。しかし、臨床実習は、いまの自分に臨床工学技士として何が足りないのか、将来、自分がどういう臨床工学技士になりたいかなど、自分と真摯に向き合える貴重な時間であることを忘れないでください。

　最後に、臨床実習での心得・注意ポイントをまとめます。

❶ **挨拶やお礼を伝えるなどの礼節を徹底する**
- その日初めて会ったスタッフには必ず挨拶をする
- 実習施設内の特定の場所（CE（ME）室、透析室、手術室など）を出入りするときは、「失礼します」「失礼しました」などの声がけをする。
　※室内の状況（患者さんが寝ているなど）に合わせて、声量は調整する。

- 教えていただいた後、質問に答えていただいた後には、必ずお礼の返答をする。

❷ 実習レポートをしっかり作成する（第5章参照）

❸ 実習指導者からの質問にしっかり回答できる知識を身につける
- 施設ごとに必要な知識を絞って事前に学習する
- 覚えきれないものはメモ帳にまとめ、すぐに引けるようにしておく

❹ 指導してもらった実技を確実に実施する
- メモ帳に手技の流れをマニュアル化してまとめておく
- いつ実践を求められてもいいように徹底してシミュレーションをしておく
- 必要に応じて実習後、学校に練習に行く
- わからないことは必ず調べる、または質問をして解決しておく

❺ 積極的に学ぶ
- 積極的に質問する（ただし、同じことを繰り返し質問するのはNG）
- 指示された仕事は前向きに取り組む
- 自分にできることを探し、雑用なども積極的に取り組む

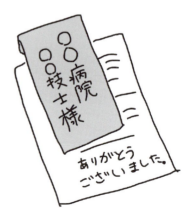

6. 実習を終えたら

演習問題

以下のお礼状の例文をなぞってみましょう。

吉田メモリアル病院

臨床工学部

技士長　吉田　一郎　様

拝啓

　春暖の候、貴院の皆さまにおかれましてはますますご清祥のこととお喜び申し上げます。

　先日の臨床実習では大変お世話になり誠にありがとうございました。特に手術室の実習では、初めて人工心肺を使用した手術を見学させていただき、大変貴重な経験となりました。その中でME部の皆さまが連携し、手術の遂行に努めていることを肌で感じ、自分も早く臨床工学技士として医療に従事したいと気持ちを改めました。

　現在は国家試験に向けて日々勉強しておりますが、就職できた暁には吉田メモリアル病院様で経験させていただいたことを活かして患者さまのために尽力したいと考えております。

　末筆ながらお礼のごあいさつとさせていただきます。本来ならば、拝眉の上お礼を申し上げるべきところ、書面で失礼の段お許しください。

　　　　　　　　　　　　　　　　　　　　　　　　　　　　敬具

　　　　　　　　　　　　　日本医療工学専門学校

　　　　　　　　　　　　　臨床工学科 3年　山田　二郎

〔資料〕タスク・シフト/シェアに関連した各種法令の改正について
（臨床工学技士関連）

● 厚生労働省令第百十九号

　良質かつ適切な医療を効率的に提供する体制の確保を推進するための医療法等の一部を改正する法律（令和三年法律第四十九号）の一部の施行に伴い、及び関係法律の規定に基づき、診療放射線技師法施行規則等の一部を改正する省令を次のように定める。

　　令和三年七月九日

　　　診療放射線技師法施行規則等の一部を改正する省令
　　　（診療放射線技師法施行規則の一部改正）

第三条　臨床工学技士法施行規則（昭和六十三年厚生省令第十九号）の一部を次の表のように改正する。

　　　第四章　業務
（法第三十七条第一項の厚生労働省令で定める医療用の装置の操作）
第三十一条の二　法第三十七条第一項の厚生労働省令で定める医療用の装置の操作は、次のとおりとする。
　一　手術室又は集中治療室で生命維持管理装置を用いて行う治療における静脈路への輸液ポンプ又はシリンジポンプの接続、薬剤を投与するための当該輸液ポンプ又は当該シリンジポンプの操作並びに当該薬剤の投与が終了した後の抜針及び止血
　二　生命維持管理装置を用いて行う心臓又は血管に係るカテーテル治療における身体に電気的刺激を負荷するための装置の操作
　三　手術室で生命維持管理装置を用いて行う鏡視下手術における体内に挿入されている内視鏡用ビデオカメラの保持及び手術野に対する視野を確保するための当該内視鏡用ビデオカメラの操作

● 令和3年政令第二百三号

臨床工学技士法施行令の一部を改正する政令
　内閣は、臨床工学技士法（昭和六十二年法律第六十号）第二条第二項及び第四十二条の規定に基づき、この政令を制定する。
　臨床工学技士法施行令（昭和六十三年政令第二十一号）の一部を次のように改正する。
　第一条第二号中「シャント」の下に「、表在化された動脈若しくは表在静脈」を加える。

引用・参考文献

● **Chapter 1** ●

　本章に示した図（円グラフ 3 点）は、杏林大学保健学部臨床工学科学生（2017 年度臨床実習実施者全 48 名）に取ったアンケート結果から抜粋した内容です（複数回答で記名、有効回答数：43 名）。

　5 項「実習の目標」の表は、杏林大学保健学部臨床工学科学生（2017 年度臨床実習実施者中 2 名）からピックアップし、実習前に作成した臨床実習目標および追加目標から抜粋した内容です。

● **Chapter 3** ●

1) E. キューブラー・ロス 著，鈴木 晶 訳："死ぬ瞬間―死とその過程について 完全新訳改訂版", 読売新聞社（1998）．
2) 春木繁一："透析患者の心を受け止める・支える サイコネフロロジーの臨床", pp. 68-82，メディカ出版（2010）．
3) 山﨑親雄（中本雅彦，佐中 孜，秋澤忠男 編）："透析療法事典", p. 132, 133，医学書院（1999）．
4) 国立循環器病センター看護部 編："CCU 看護マニュアル", pp. 6-8，メディカ出版（1993）．
5) 今井孝祐：日本集中治療医学会雑誌，**16**(4), 503（2009）．
6) Pronovost P. J., Angus D. C., Dorman T., Robinson K. A., Dremsizov T. T., Young T. L.: *JAMA 2002*, **288**(17), 2151（2002）．
7) ヴァージニア・ヘンダーソン 著，湯槇ます・小玉香津子 訳："看護の基本となるもの", 日本看護協会出版会（2016）．
8) 中島恵美子，山﨑智子，竹内佐智恵 編："ナーシンググラフィカ．成人看護学 5　周手術期看護 第 2 版", p. 16，メディカ出版（2013）．
9) 中島恵美子，山﨑智子，竹内佐智恵 編："ナーシンググラフィカ．成人看護学 4　周術期看護 第 3 版", p. 60，メディカ出版（2018）．
10) 林 智美，宮崎徳子，月田佳寿美：日本看護学会論文集．看護総合，**35**, 82（2004）．

11) 文献9), p. 83.
12) 文献9), pp. 90-105.
13) 臨床工学合同委員会：臨床工学技士基本業務指針2010, p. 7 (2010).
14) 田中美穂, 蜂ケ崎令子：" 看護学生のための実習の前に読む本", p. 23, 24, 医学書院 (2015).
15) 鯨岡栄一郎：" 医療福祉の現場で使える『コミュニケーション術』実践講座", pp. 32-36, 運動と医学の出版社 (2012).

● **Chapter 4** ●
1) 近村千穂, 石崎文子, 小山矩, 青井聡美, 飯田忠行, 小林敏生：県立広島大学保健福祉学部誌, **7**(1), 187 (2007).
2) 高橋純子, 須賀本理恵, 泉田洋志, 石田洋一：日本臨床工学技士会誌, **37**, 317 (2009).

索 引

あ
ICU（集中治療室） 57
アクシデント 32, 124
インシデント 32, 124
ヴァージニア・ヘンダーソン 59
エビングハウスの忘却曲線 116
お礼状の書き方 152

か
改正医療法 92, 160
カテーテル検査・治療 54
患者さん対応
　移　送 89
　急に気分が悪くなる 72
　人口呼吸器のアラームが鳴る 73
　何度も同じことを訴えてくる 73
　病気についての質問 72
　物をもらう 72
患者さんの特徴
　ICUで療養する── 55
　手術を受ける──（手術前〜手術後） 61
　CCUに入院する── 55
　循環器疾患をもつ── 54
　透析療法を受ける──（保存期〜維持期） 50
患者さんを理解し会話につなげる方法 67
感染対策（感染拡大防止） 38
急性血液浄化装置 107
キューブラー・ロス, E. 51
鏡視下手術における視野確保関連実習 95, 110, 111
　実習前に習熟しておくべき項目 110
　臨床実習ならではの学習項目 111
車椅子（患者さんの移送） 89
血液浄化療法関連実習 93, 101, 104
　実習前に習熟しておくべき項目 101
　臨床実習ならではの学習項目 104
呼吸療法関連実習 92, 94, 96, 97
　実習前に習熟しておくべき項目 96
　臨床実習ならではの学習項目 97
個人情報 124
個人情報保護 68
コミュニケーション 66, 83, 88

さ
3者間カンファレンス 88
CCU（心臓血管疾患集中治療室） 55
　──に入院する患者さんの特徴 55
事前学習の方法 12
実習欠席の連絡 27
実習指導者 18
　──との昼食・休憩 35
　──への報告 37
実習進度の確認 79
実習中のストレッサー 83
実習内容 92
　鏡視下手術における視野確保関連 95, 110, 111
　心・血管カテーテル治療関連 95, 111, 112
　血液浄化療法関連 93, 101, 104, 108
　呼吸療法関連 92, 94, 96, 97
　集中治療関連 93, 94, 107, 108
　手術関連 95, 108, 109
　静脈路確保／行為関連 95, 113, 114
　人工心肺関連 94, 98, 99
　ペースメーカ関連 94, 106
　保守点検関連 96, 114, 115
　補助循環関連 94, 100, 101
実習前に習熟しておくべき項目 96, 98, 100, 101, 106, 107, 109〜111, 113, 114
実習目標 10
実習レポート 86, 126
　──の引用 142
　──の書き方 128
　──の形式 128
　──の構成 122

163

──の提出時間　140
　　──の悪い例　144
　　──を書くコツ　136
　「日本医療大学式メソット」　129
疾病の受容過程　51
質問のタイミング　23
周術期　61, 95
集中治療関連実習　93, 94, 107, 108
　　実習前に習熟しておくべき項目　107
　　臨床実習ならではの学習項目　108
手術関連実習　95, 109
　　実習前に習熟しておくべき項目　109
　　臨床実習ならではの学習項目　109
手術中に起こりやすい合併症　63, 64
　　呼吸器系　64
　　循環器系　64
　　体温異常　64
手術前オリエンテーション　62
術後合併症　64
　　術後せん妄　65
　　肺塞栓症　64
循環器疾患　54
情報収集（実習施設の）　7
静脈路確保関連行為関連実習　95, 113, 114
　　実習前に習熟しておくべき項目　113
　　臨床実習ならではの学習項目　114
心・血管カテーテル治療関連実習　95, 111, 112
　　実習前に習熟しておくべき項目　111
　　臨床実習ならではの学習項目　112
人工心肺関連実習　94, 98, 99
　　実習前に習熟しておくべき項目　98
　　臨床実習ならではの学習項目　99
信頼関係を築くあ・い・う・え・お　67
スタンダードプリコーション　38
ストレッサー（実習中の）　82, 83
ストレッチャー（患者さんの移送）　89

た

タスク・シフト／シェア　2, 160
タッチング　63
治療法決定のための情報　62
治療を受ける対象者を知る　48
手の洗い方　39
手指衛生のタイミング　39
手指消毒薬の使い方　40

伝言を受ける　35
電話応対　34
透析療法　50

は

ハラスメント　43
悲観のプロセス　52
ペースメーカ関連実習　94, 106
　　実習前に習熟しておくべき項目　106
　　臨床実習ならではの学習項目　106
ヘンダーソンの14の基本的ニード　59
ほうれんそう（報告・連絡・相談）　30, 31
歩行（患者さんの移送）　89
保守点検関連実習　96, 114, 115
　　実習前に習熟しておくべき項目　114
　　臨床実習ならではの学習項目　115
補助循環関連実習　94, 100, 101
　　実習前に習熟しておくべき項目　100
　　臨床実習ならではの学習項目　101

ま

メモ帳　122
　　──のチェックリスト例　121
　　──の取り扱い　124
　　──の紛失　124
メモの裏技　118
メモ例（実習中の）　118
メモを書くうえでの心得「5箇条」　117
持ち物リスト（実習中の）　15

や

養成校　76

ら

臨床工学技士基本業務指針　66
臨床実習　2, 157
　　──で見学させる行為　92
　　──で見学させることが望ましい行為　94
　　──で実施させる行為　92
　　──での心得・注意ポイント　157
　　──ならではの学習項目　97, 99, 101, 104,
　　　　106, 108, 109, 111, 112, 114, 115
　　──に必要な基本マナー　13
レポート → 実習レポート

臨床工学技士のための
臨床実習が楽しくなる本　改訂 2 版

　　　　　　　　令和 4 年 12 月 25 日　発　　　行
　　　　　　　　令和 7 年 2 月 25 日　第 3 刷発行

編　者　　髙　橋　純　子

発 行 者　　池　田　和　博

発 行 所　　丸善出版株式会社
　　　　　〒101-0051 東京都千代田区神田神保町二丁目17番
　　　　　編集：電話(03)3512-3263／FAX(03)3512-3272
　　　　　営業：電話(03)3512-3256／FAX(03)3512-3270
　　　　　https://www.maruzen-publishing.co.jp

© Junko Takahashi, 2022
組版印刷・創栄図書印刷株式会社／製本・株式会社 松岳社
ISBN 978-4-621-30768-7　C 3047　　　Printed in Japan

JCOPY 〈(一社)出版者著作権管理機構 委託出版物〉
本書の無断複写は著作権法上での例外を除き禁じられています。複写される場合は，そのつど事前に，(一社)出版者著作権管理機構（電話 03-5244-5088, FAX 03-5244-5089, e-mail：info@jcopy.or.jp）の許諾を得てください。